FRANÇOIS MATHEY
INSPECTEUR DES MONUMENTS HISTORIQUES

CHATEAUX DE FRANCE

PRÉFACE D'HENRY DE SEGOGNE

TRADUCTION DE MARIE-IRENE MARTIN

Dans la même collection :

Daniel-Rops et Yvan Christ
CATHÉDRALES DE FRANCE
(4e Édition)

Pita Andrade
CATHÉDRALES D'ESPAGNE

Paul Deschamps et Y. et E.-R. Labande
SANCTUAIRES D'ITALIE

Paul Fierens et Yvan Christ
PIERRES FLAMANDES

Yvan Christ
ABBAYES DE FRANCE
(2e Édition)

Marcel Brion
L'ART EN SICILE
Photographies de Roger-Viollet

Jacques de Lacretelle et François Enaud
CITÉS DE FRANCE

Wladimir d'Ormesson et Yvan Christ
ÉGLISES DE PARIS

LA DIFFUSION FRANÇAISE - 96, Bd du Montparnasse, PARIS-XIVe - Dan. 58-32

IMPRIMÉ EN FRANCE

Blois. La cour du château.

Les guerres étrangères et civiles, les révolutions politiques ou économiques, les bandes noires ont déferlé sur notre sol et il nous reste encore des châteaux.

Fallait-il que la France en comptât et comme elle devait être belle sous sa parure architecturale aux derniers jours du XVIIIe siècle.

Mieux qu'aucun témoignage, le palais de Versailles atteste la splendeur de ces temps révolus et avec lui : Blois, Chambord, Fontainebleau, Compiègne. A ces châteaux royaux s'ajoutent ceux que se sont fait élever les grands seigneurs, les ministres, les financiers et, pour nous en tenir à l'exemple le plus grandiose et le plus beau qui subsiste, citons Vaux-le-Vicomte où Fouquet réunit l'équipe d'artistes de génie qui réalisa Versailles.

Mais combien d'autres ont disparu dont il ne reste même pas un semis de pierres mêlé aux ronces. La charrue a repris possession de la terre et les moissons ont pris la place des merveilles que l'art avait créées à moins que ce ne soit l'extension des villes qui leur ai substitué le hangar, l'usine ou le pavillon de banlieue.

Pour mesurer l'immensité de la perte subie, consultons donc les gravures réunies par M. Philippe de Cossé-Brissac dans son beau livre : les " Châteaux de France disparus ".

Du château de Madrid, commandé par François Ier, de ceux de Saint-Maur-des-Fossés élevé par Catherine de Médicis, de Verneuil-sur-Oise qu'Henri IV donna à sa maîtresse la Marquise de ce nom, de Chilly-Mazarin où résida Hortense Mancini, de Clagny édifié par Jules Hardouin-Mansard pour la marquise de Montespan, de Choisy-le-Roi bâti pour la Grande Mademoiselle, de Chanteloup résidence du duc de Choiseul, du Raincy où vécurent les ducs d'Orléans il ne reste aucune trace ou presque.

Presque aussi éprouvés, l'admirable château du Verger, qui fut la résidence du maréchal de Gié, le château de Bury que bâtit Florimond Robertet, ministre des trois rois : Charles VIII, Louis XII et François Ier, le château de Bonnivet, ne montrent plus que des tours délabrées ou des pans de murs. Et que dire du château de

Richelieu où s'étalait l'incroyable opulence du grand cardinal, du château de Saint-Cloud où se déroulèrent tant de faits historiques depuis sa construction par Monsieur, frère de Louis XIV, jusqu'à son incendie en 1871, du château de Sceaux, célèbre par les fêtes qu'y donna la duchesse du Maine. Ici et là, il ne reste qu'un pavillon, des communs.

Plus favorisés, les châteaux de la Tour-d'Aigues, de Monceaux-les-Meaux, de Coulommiers, le château neuf de Saint-Germain-en-Laye, le château de Meudon ont conservé un soubassement, une terrasse, un portique ou un important élément d'architecture qui nous permettent d'en imaginer la beauté.

Et l'on est presque réduit à se réjouir qu'aux châteaux d'Assier élevé pour le grand maître de l'artillerie Galiot de Genouilhac et d'Anet où se refléta la grâce de Diane de Poitiers, une aile ait été sauvée de la ruine totale. Au moins peut-on ainsi se rendre compte de ce que pouvaient être ces ensembles monumentaux et mesurer l'étendue du désastre.

Mais malgré ces amputations, la France reste toujours le pays des châteaux. Produits de chaque époque et de chaque terroir, ils sont les reflets de la civilisation qui les a créés et les témoins du passé de nos provinces. Ainsi la présence de ruines sur les sommets des Corbières s'explique par la nécessité pour les Catharres de se défendre contre les croisés du Nord.

Aussi bien l'abondance en Dordogne de châteaux, encore féodaux par leur structure, mais déjà effleurés par la Renaissance quant au décor, révèle que ce pays, ravagé par la guerre de Cent Ans s'est relevé de ses ruines grâce aux guerres d'Italie. Ne sont-ce pas celles-ci qui fournirent en butin les seigneurs périgourdins, nombreux à s'être enrôlés sous les bannières royales.

De même cette profusion de demeures de la première Renaissance évoque le séjour des Valois et de leur cour sur les bords de la Loire, tandis que les châteaux classiques, groupés autour de Paris, attestent que nos rois sont revenus en Ile-de-France.

Le nom des châteaux est aussi celui des grandes familles plus ou moins associées à la gloire française.

Prenons trois exemples : le château de Biron ne nous conte-t-il pas mieux que tous les récits l'élévation de l'illustre Maison de Gontaut ; le désordre des bâtiments qui portent la marque de chaque siècle, du XIIe au XIIIe siècle, retrace les vicissitudes de cette forteresse souvent assiégée, alternativement prise et reprise, partiellement démolie et chaque fois réparée, renforcée et agrandie au goût du temps.

N'en est-il pas de même du château de La Rochefoucauld où se lit l'épopée de cette famille depuis le donjon farouche jusqu'à la façade sur cour où s'épanouit le sourire de la Renaissance.

Et le château de Vaux-le-Vicomte et son jardin dû à Le Nôtre n'évoquent-ils pas d'une part les troubles de la Fronde, propices à l'enrichissement des financiers devenus rivaux des grands seigneurs, leur luxe inouï, leur amour des Arts et des Lettres, et d'autre part, la maturité d'une pensée et la volonté d'ordre qui s'affirmeront dans le classicisme de Versailles.

Les châteaux expriment aussi le caractère rural de notre civilisation. La fortune de la France lui est venue de la terre et de tout ce qu'elle produit si généreusement. Depuis les origines de la féodalité, le seigneur tient son fief, c'est-à-dire sa terre productrice de sa richesse, de sa puissance et représentative de ses droits. Les précieuses résidences qu'a élevées le XVIIIe siècle et qui nous semblent la suprême expression du raffinement et de la douceur de vivre, ne sont à travers une évolution continue, que le lointain aboutissement du donjon de bois au XIe siècle.

Suivons-en les étapes. Le renforcement de la puissance des seigneurs, le perfectionnement apporté dans l'art de bâtir ont substitué dès la fin du XIe siècle, la pierre au bois. Puis, au XIIe siècle, le donjon s'entoure d'une enceinte que l'ingénieux militaire doublera ou triplera en y ajoutant les renforcements et les aménagements que lui suggère son imagination au service de la science. Le château féodal au XIIIe siècle est devenu un organisme complexe. Le donjon, réduit suprême, jadis résidence du seigneur et de sa famille, domine toujours l'ensemble de la forteresse. Tour plus forte que les autres, il occupe souvent, du moins s'il s'agit d'un château de plaine où l'espace n'est pas limité, le centre d'une courtine que flanquent d'autres tours aux quatre angles de la tour rectangulaire. Cependant, l'amélioration des conditions de vie, l'orgueil de montrer son pouvoir et de rivaliser avec ses pairs, ont conduit le maître du bien à souhaiter de plus amples appartements. Ceux-ci assez vastes pour abriter le seigneur, sa famille, ses serviteurs, ses gardes et pour fournir le cadre des réceptions et des festins s'étalent sous le revers de la courtine de part et d'autre du donjon jusqu'à rejoindre les tours latérales. Bientôt ils s'étendront en retour vers les deux autres angles. Notons-le en passant : n'est-ce pas le plan que continueront à reproduire les grandes demeures seigneuriales du XVIIe siècle.

Jusqu'à cette époque, obéissant aux contraintes géographiques, les constructeurs ont, en général, respecté les caractéristiques régionales.

Voici que vont s'affirmer les tendances unificatrices. Vers la fin du XVe siècle la sécurité s'est rétablie dans le royaume, engendrant le développement d'aspirations depuis longtemps contenues. Il souffle sur la France un vent qui apporte avec lui des idées nouvelles. Aux préocupations de lutte et de défense succèdent une activité de connaître, un goût nouveau de vivre.

Les terres ont souvent changé de mains conférant aux bourgeois des villes, leurs acquéreurs, les privilèges seigneuriaux. Dès lors, châteaux, manoirs vont se multiplier. Mais voici justement que les guerres d'Italie mettent les Français en présence de formules inconnues. Milan, Pavie, les ont charmés comme le feront, vingt ans plus tard, les palais romains.

Malgré la résistance des maîtres d'œuvres la mode s'impose peu à peu à tout le pays. Du reste, pourquoi s'y opposer, à quoi bon, en effet, les hautes murailles farouches, à peine percées de quelques meurtrières, qui ne sont plus capables de résister aux boulets de l'artillerie et qu'orne dans les seules parties hautes, lucarnes et cheminées, une décoration flamboyante d'une exubérance atteignant l'extravagance.

La Renaissance ouvre des fenêtres sur la campagne, prodigue l'air et la lumière et couvre les parois de pilastres, de frises à rinceaux, de niches et d'une façon générale d'un vocabulaire ornemental influencé par l'art italien.

L'évolution est près d'être terminée. Sans doute, le style s'assouplira-t-il encore.

Ainsi, la grâce des façades contemporaines du règne de Louis XIII aux subtiles colorations grise, rose et blanche produites par le mariage de l'ardoise, de la brique et de la pierre s'opposent à l'austérité des murailles du XIIIe siècle, de même que le dépouillement d'une demeure du XVIIIe siècle, ne ressemble guère à la profusion décorative du XVIe siècle. Mais les architectes conserveront les grandes lignes du plan traditionnel. Le donjon se retrouve dans le corps de bâtiment qui, au fond de la cour d'honneur, marque le centre de la composition ; les quatre pavillons d'angle sont les héritiers des tours, qui flanquaient au Moyen-Age les sommets du rectangle, et les corps de logis qui relient les pavillons ne sont autres que les appartements adossés aux courtines.

Du sud au nord, de l'ouest à l'est du territoire français, les châteaux proclament la gloire des artistes qui avec une continuité sans égale ont su faire lever une moisson de chefs-d'œuvres qui constituent une part précieuse de notre patrimoine monumental. Le lecteur a vu, au début de cette préface, l'importance des pertes déjà subies dans le passé. L'énumération donnée, à vrai dire limitée à l'essentiel, ne conduit-elle pas à souhaiter que les édifices qui sont, par chance, parvenus jusqu'à nous bénéficient de la protection, voire de l'extrême sollicitude de la Nation ?

Tel n'est pas le cas. Les châteaux que les violences ont épargnés sont actuellement dangereusement menacés. Plus sûrement que le feu, la sape, les obus et les bombes, l'impécuniosité des propriétaires aggravée des excès de la fiscalité achèvera la ruine de ces témoins du passé.

Faute de réparation et d'entretien, les châteaux de France sont condamnés à mort les uns après les autres. Seuls subsisteront ceux que l'Etat ou une collectivité publique ont achetés pour y installer un musée ou un service administratif. Il faut espérer que le Gouvernement et le Parlement prendront, notamment, dans le domaine fiscal, les mesures propres à assurer la sauvegarde des châteaux de France.

L'une de ces mesures réside selon nous dans le développement du tourisme.

Faire connaître les châteaux, c'est intéresser l'opinion publique à leur conservation.

Nous souhaitons bonne chance à ce recueil d'images et nous aimerions que sa consultation décidât le lecteur à visiter ces joyaux qui font partie des trésors de la France.

HENRY DE SEGOGNE.

Château d'Anet. Plaque de serrure en fer forgé.

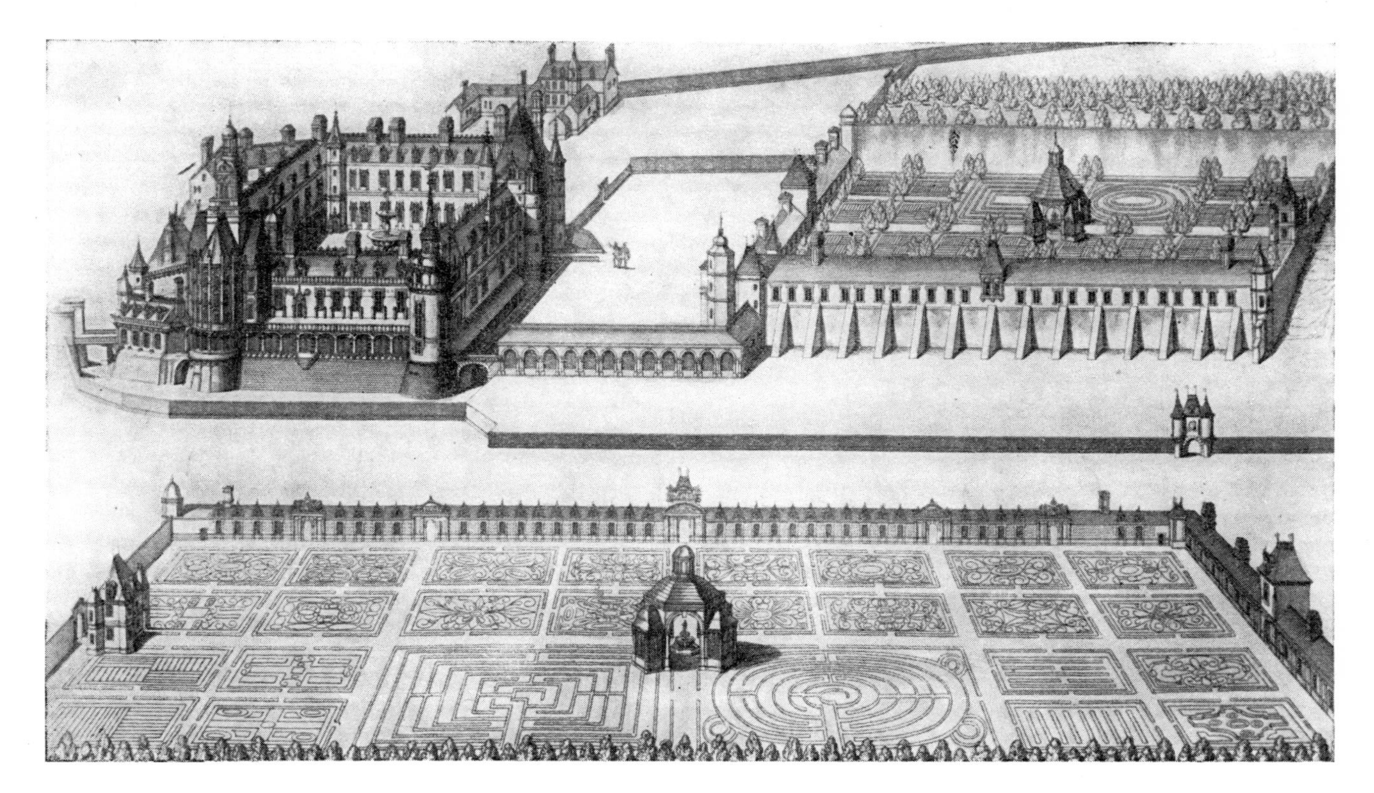

Gaillon. Vue d'ensemble.

Cet ouvrage consacré aux châteaux de France n'est qu'un hommage à un art de vivre dont le souvenir en nos temps modernes évoque les romans fabuleux et les contes de Perrault. Encore ne lit-on plus l'Astrée et les grands-mères ne racontent plus aux enfants les aventures de Riquet-à-la-Houppe. Mais on visite les châteaux et la nouvelle splendeur de leurs illuminations nocturnes révèle comme en un rêve leur monde aboli. Il y a dans la curiosité des touristes et dans les explications fantaisistes des guides comme le regret ou le remords d'un merveilleux passé en même temps que l'intime satisfaction de pouvoir y participer même quelques heures. Cependant les maîtres sont morts et il ne semble plus que leur exemple ait quelque réalité. Nos châteaux d'autrefois remplacés par des usines, des sanas, des hôtels et les folies du XVIIIe siècle sont les cabanes qui fleurissent aux banlieues des grandes villes. Peut-être ne faut-il rien regretter, il est bon que les châteaux meurent aussi quand ils n'ont plus rien à nous dire mais il faut conserver leur leçon. C'était notre dessein. Parmi les milliers qui s'élèvent au sol de France, nous avons choisi ceux qui nous paraissent les plus valables témoins d'un art ou d'une civilisation. Cette sélection est évidemment arbitraire, à plus forte raison incomplète.

On trouvera dans cet ouvrage beaucoup de châteaux célèbres, certains le sont qui le méritent, d'autres ne sont pas des chefs-d'œuvre, à beaucoup près, mais leurs fautes ou leurs imperfections portent aussi bien témoignage. Un grand nombre d'admirables demeures manque à l'appel mais leur présence était moins nécessaire que telle résidence provinciale, peu connue, et plus exemplaire. On ne pouvait guère imaginer une « anthologie » de châteaux sans Versailles ni Fontainebleau mais ces palais n'ont ici que la valeur d'une référence. Qui voudra étudier les châteaux de France et en posséder une vision nouvelle devra se reporter aux livres de M. E. de Ganay qui font autorité en la matière. Ces *morçeaux choisis* d'architectures n'ont pas d'autre but que d'en faire connaître les formes les plus caractéristiques, les plus achevées parce que les moins définitives. De siècle en siècle elles se sont modifiées, transformées, au gré des besoins essentiels de leurs hôtes, et illustrent ainsi la civilisation la plus raffinée du monde.

FONTAINEBLEAU (Seine-et-Marne). P. 1, 2, 3.

« Voilà la vraie demeure des Rois, la maison des siècles » a dit Napoléon dans le *Mémorial de Sainte-Hélène*.

Retour de captivité, François Ier annonça son intention de résider désormais « en sa bonne ville et cité de Paris et alentour ». Ce fut le début d'une nouvelle ère glorieuse pour Fontainebleau qui n'était plus alors qu'une vieille forteresse. L'architecte Gilles Le Breton fut chargé en 1528, de conduire les travaux, il conserva ce qu'il pût, se contentant de refaire les façades sur cour et de construire deux pavillons rectangulaires.

On accède aujourd'hui au château par la cour du Cheval-Blanc ou des Adieux, vaste quadrilatère fermé sur trois côtés. L'aile de gauche en brique et pierre pourrait être de Martin Chambige. Celle du fond élevée par François Ier puis remaniée par Philibert Delorme et le Primatice comprend cinq pavillons à deux étages et à toiture indépendante réunis l'un et l'autre par des corps de bâtiments à un étage. Un escalier en fer à cheval construit sous Louis XIII par Jean Ducerceau accède au pavillon central. L'aile droite bâtie au XVIIIe siècle par les Gabriel comporte un rez-de-chaussée et deux étages. A droite de l'escalier en fer à cheval, un passage voûté donne accès à la cour de la Fontaine, limitée au sud par le bassin des Carpes, au nord par la galerie François Ier, à l'ouest par l'aile du Primatice, à laquelle fait face l'aile de la Belle-Cheminée. En aucun château de la Renaissance, l'italianisme ne s'affirme avec plus d'intransigeance que sur la façade orientale de ce bâtiment. A la mort du Primatice, Jean Bullant, édifie la façade de l'aile qui donne sur la cour de Diane, où seront installés les grands appartements de tous les souverains se succédant à Fontainebleau. Plus tard, Louis XV fait construire sur les jardins de Diane le bâtiment au revers duquel se trouve la galerie François Ier et dans lequel Napoléon aménagera sa résidence.

Si Fontainebleau est un palais, c'est également un style décoratif, et cet aspect est essentiel dans l'histoire de l'art. François Ier se préoccupa de la décoration intérieure qu'il confia à deux peintres spécialement amenés d'Italie : Le Rosso, formé à l'école de Raphaël et de Michel-Ange, qui vint en 1530 et le Primatice, élève de Jules Romains, arrivé en 1532.

Ces deux décorateurs à la tête d'une équipe de collaborateurs créèrent une véritable école. Leur œuvre majeure demeure la galerie François Ier (1534-1539), que caractérise le jeu vigoureux des ombres et des lumières obtenu par l'emploi des hauts-reliefs en stucs et des surfaces calmes des fresques. Enfin, ils imposent tout un nouveau répertoire iconographique et ornemental de figures mythologiques, de guirlandes et d'enroulements de cuirs découpés.

Le véritable créateur du Parc, déjà entrepris par François Ier, fut Henri IV auquel on doit le canal ainsi que le jardin de Diane, celui des Pins et le parterre du Tibre modifié par Le Nôtre.

VAUX-LE-VICOMTE [Maincy] (Seine-et-Marne). P. 4, 5.

Si Versailles représente la perfection de l'art de construire au XVIIe siècle, sans doute le doit-il pour beaucoup à l'exemple de Vaux où s'est élaboré cet art classique. Au service du surintendant Fouquet, trois grands artistes, Le Vau, Le Brun, Le Nôtre créèrent le plus merveilleux chef-d'œuvre d'architecture que put rêver un roi. Le roi en rêva et il bâtit Versailles. Les travaux commencèrent en 1656; cinq ans après, Louis XIV inaugurait Vaux et emprisonnait Fouquet.

Une haute grille délimite une immense cour au fond de laquelle se dresse le château. La façade présente un avant-corps central, en retrait, encadré par des ailes qui s'avancent en décrochements successifs. Le corps central s'orne d'un triple portail, décoré de grosses colonnes baguées, surmonté d'un fronton sur les rampants duquel sont placées les statues d'Apollon et de Rhéa par Michel Anguier. Les pavillons d'angle sont ornés de pilastres coniques d'ordre colossal. La façade sur les jardins, véritablement triomphale, offre un corps central saillant, en forme de rotonde ovale, couvert d'une coupole surmontée d'un lanterneau. Un triple portail y accède. Du pied de cette rotonde un degré descend par paliers majestueux jusqu'au jardin.

Le décor intérieur a conservé l'ordonnance somptueuse que régla Le Brun.

GUERMANTES (Seine-et-Marne). P. 6.

Au début du XVIIe siècle, Claude Viole, Maître ordinaire de la Chambre des Comptes, fait élever le corps de logis principal, flanqué de deux pavillons; constructions en brique et pierre à deux étages, surmontées d'une toiture à la française. Au XVIIIe siècle, les pavillons latéraux furent prolongés de deux autres bâtisses en pierre à un étage aux combles brisés; une longue aile en équerre à un étage surélevé était également reconstruite, terminée par un pavillon saillant avec une toiture à la française elle-même couverte par un comble mansardé. C'est à l'étage de cette aile que se développe la célèbre galerie avec son plafond compartimenté qu'éclairent vingt fenêtres alternant avec des glaces et des trumeaux peints par Mérelle en 1709. L'escalier extérieur est l'œuvre de Robert de Cotte.

ORMESSON (Seine-et-Oise). P. 7.

Construit au XVIIe siècle, par Lefèvre d'Ormesson, Conseiller d'Etat, Ormesson est le témoin exceptionnel d'une rare tradition familiale puisqu'il appartient encore au comte Wladimir d'Ormesson, Ambassadeur de France.

Le château en brique et pierre est entouré de douves sur quatre faces de sorte qu'il donne l'impression d'être placé au milieu d'un immense miroir d'eau. Deux pavillons en saillie, couverts de combles à la Mansart, flanquent le corps de logis principal qui a gardé son haut toit à la française. La façade sur jardin régulièrement percée de baies, couronnée d'un fronton triangulaire, présente une sobre ordonnance classique.

Le parc fut aménagé d'après les plans de Le Nôtre.

JOSSIGNY (Seine-et-Marne). P. 8.

Le château fut bâti en 1743. La façade côté cour est d'allure très classique tandis que celle côté jardin, avec son avant-corps en rotonde est d'esprit rocaille. Cette charmante originalité est soulignée par le profil des toitures légèrement en pagode où se révèle avec infiniment de tact le goût exotique de l'époque.

CHAMPS (Seine-et-Marne). P. 9.

Un laquais, Paul Poisson, dit Bourvalais, fut son véritable créateur dans les premières années du XVIIIe siècle et J.-B. Bullet l'architecte. Bourvalais saisi et embastillé en 1716, Champs est acquis en 1718 par la Princesse de Conti qui le donne au duc de La Vallière. En 1757, Mme de Pompadour le loue mais y séjourne fort peu. Cependant, son nom et son souvenir demeurent et sont intimement liés au prestige du château.

Au fond de la cour d'honneur, se dresse la façade à deux étages, formée d'un corps central qu'encadrent deux pavillons d'angle en saillie. Une habile superposition des ordres associe le beau péristyle dorique du rez-de-chaussée, encore dans le goût de Le Vau, au plaquage ionique de l'étage qui supporte le fronton triangulaire. La façade sur les jardins, d'une composition analogue, s'enfle en son milieu d'une rotonde semi-circulaire occupée par le salon ovale. Sur un important balcon d'une admirable ferronnerie s'ouvre la porte-fenêtre de l'étage, au-dessus de laquelle règne un trumeau sculpté que couronne un fronton triangulaire. Quel que soit le mérite de cette architecture, les intérieurs décorés sous la Régence et au temps de Louis XV sont beaucoup plus intéressants : de superbes salles aux lambris ornés ou peints en camaïeu, des plafonds décorés par Huet, des dessus de portes de Oudry et Desportes, et des boiseries sculptées dans le goût de Verbeckt.

Les jardins créés vers 1700, sont composés dans l'axe symétrique du château. Ils comportent deux parterres, l'un de broderie, flanqué de deux grandes pièces de gazon, l'autre à l'anglaise suivi de deux bassins circulaires que séparent quatre longues pièces de gazon.

RARAY (Oise). P. 10.

Raray est un des plus curieux château de France en raison du décor sculpté qui borde sa cour, certainement inspiré par ceux de Gamberaïa et de Caprarola qu'avait probablement admirés en Italie Nicolas de Mancy, qui le fit édifier entre 1600 et 1625.

Deux murs, ajourés de dix-huit arcades limitent la cour d'honneur et rattachent le vieux château du XIVe siècle au nouveau. Entre chaque arcade se creusent des niches ornées de bustes où les antiques dieux et déesses se mêlent aux contemporains. Sur la crête des murs, trente-quatre chiens de meute poursuivent le cerf qui se rend, tandis que le sanglier leur fait tête.

COMPIÈGNE (Oise). P. 11.

Gîte d'étape romain, palais mérovingien, résidence carolingienne et capétienne, depuis les origines de notre histoire nationale, et jusqu'aux temps les plus modernes, Compiègne demeure lié à la généalogie des rois et des empereurs qui l'habitèrent. Reconstruit par Charles V, le nouveau Louvre cédera la place, au XVIIIe siècle, à l'actuel château mais de cette époque il ne reste plus que les tours avec leurs fossés et quelques pans de murailles le long de la terrasse. En 1738, Gabriel fut chargé de reconstruire le palais en conservant ce qui pouvait être utilisé, mais ni lui ni son fils Jacques-Ange ne virent l'achèvement de leurs travaux que reprirent Percier-Fontaine après la révolution. A la place des petits appartements ils édifièrent en 1806 la galerie des Fêtes, les appartements de l'empereur et de l'impératrice et le grand escalier. Compiègne connut sous l'Empire des heures fastes, lors de l'entrevue de Napoléon et de Marie-Louise, mais c'est surtout Napoléon III et l'impératrice Eugénie qu'évoquent le palais et ses intérieurs, époque brillante qui fut vraiment l'apothéose de Compiègne.

CHANTILLY (Oise). P. 12, 13, 14.

De l'immense domaine des Montmorency et des Condé rebâti par Mansart et Aubert, mais démoli en 1799, il ne reste rien. L'actuel château a été reconstruit par le duc d'Aumale, de 1876 à 1882, qui entreprit également la résurrection des jardins de Le Nôtre. Légué à l'Institut, de précieuses collections y sont conservées parmi lesquelles les Très Riches Heures du Duc de Berry, le Livre d'Heures d'Etienne Chevalier par Jean Fouquet et une bibliothèque de plus de douze mille volumes. Des anciens communs, subsistent les bâtiments des écuries, véritable palais à la gloire des 250 chevaux qu'il abritait, un des plus magnifiques monuments de l'architecture civile du XVIIIe siècle, édifié sur les plans d'Aubert (1720-1735).

Le petit château fut construit vers 1560 pour le connétable Anne de Montmorency par Jean Bullant qui travailla à Ecouen. C'est dans ce bâtiment que se trouvent les anciens appartements des princes de Condé aux XVIIe et XVIIIe siècles.

ROYAUMONT - (Palais Abbatial) [Asnières-sur-Oise] (Seine-et-Oise). P. 15.

Les architectes de la Régence avaient voulu se libérer de la tyrannie des ordres greco-romains, ceux de la fin du XVIIIe siècle ne jurerons que par l'antiquité et après 1780 leur idéal sera les monuments les plus dépouillés comme si l'antiquité n'évoquait pour eux qu'une idée de sévérité, d'austérité et de monotonie, comme si les sentiments devaient exiger le décor des héros de Plutarque sur lesquels on prétendait s'aligner. Le clergé, lui-même, n'échappait pas à la mode et l'abbé de Balivières, aumônier de Louis XVI, dernier abbé commendataire de Royaumont se fit élever en 1781 l'actuel palais abbatial. Il s'adressa à Le Masson, émule de Ledoux, qui construisit, de 1785 à 1789, une sorte de grande villa romaine dans le goût de Palladio.

VILLARCEAUX [Chaussy] (Seine-et-Oise). P. 16.

A proximité du vieux château du XVe siècle, dont une tourelle rappelle le souvenir de Ninon de Lenclos, J.-B. de Tillet de La Bussière, bâtit dans le parc sur la hauteur cette ravissante demeure. L'architecte Courtonne en donna les plans (1755). Précédé de deux pavillons, renfermant la grille d'entrée, au fond d'une vaste esplanade, se dresse le château. Un avant-corps central couronné d'un fronton cintré et deux ailes légèrement saillantes. L'élégance des proportions, le rapport heureux des volumes correspondent au raffinement du décor intérieur.

MÉRY [Méry-sur-Oise] (Seine-et-Oise). P. 17

La vieille église de Méry rappelle l'antique origine de la seigneurie et le château fut lui-même plusieurs fois reconstruit aux XVIe, XVIIe et XVIIIe siècles. Chaque façade, très caractéristique du style de l'époque de sa construction, s'accorde cependant parfaitement avec sa voisine, tant fut grand le souci d'ordonnance de chacune des constructions que souligne la balustrade aveugle du XVIIIe siècle qui surmonte la corniche.

CHAMPLATREUX (Seine-et-Oise). P. 18.

Champlâtreux fut rebâti par Mathieu Molé qui venait d'épouser en 1757 une fille du banquier Samuel Bernard. Il pouvait donc voir grand et s'adressa à l'architecte J.-M. Chevotet qui conçut une œuvre classique, extrêmement pure et de belles proportions. Le plan rectangulaire comprend un avant-corps central en faible saillie couvert d'un comble, en forme de dôme à pans et deux pavillons couronnés par des frontons cintrés.

ÉCOUEN (Seine-et-Oise). P. 19.

Le château d'Ecouen « le plus français » de toute notre Renaissance, est certainement le plus remarquable des environs de Paris. Le connétable Anne de Montmorency fit construire l'actuelle demeure faisant appel aux plus grands artistes de son temps, probablement Charles Billard, certainement Jean Bullant et Jean Goujon, au moment où Philibert Delorme bâtit Anet. Ecouen est un vaste quadrilatère dont quatre pavillons flanqués de tourelles forment les angles. La façade reconstruite en 1807 n'a plus d'intérêt et le grand portail a été transféré à Paris dans la cour de l'Ecole des Beaux-Arts. Sur la cour d'honneur donnent trois façades décorées de portiques où se retrouve le souci de l'architecte de créer une œuvre inspirée de l'antique : simplicité et même dépouillement du décor, superposition des ordres et recherche de l'effet monumental.

Le château d'Ecouen, des mains des Montmorency, passa entre celles des Condé jusqu'à la Révolution. Maison d'éducation de la Légion d'honneur en 1807, elle garda cette affectation jusqu'à nos jours.

LE MARAIS [Le Val-Saint-Germain] (Seine-et-Oise). P. 20.

Le Marais est un des derniers témoins de l'ancien régime, véritable palais construit, en 1770 sur les plans de Barré.

Au fond de la cour d'honneur, entourée de douves, s'élève la façade dont le corps central couvert d'une coupole, offre un périsyle à quatre colonnes doriques. L'élégance de l'architecture est discrètement soulignée par de ravissants bas-reliefs encastrés, au-dessus des fenêtres du rez-de-chaussée et par la corniche décorée de modillons, qui règne sur toute la longueur de la façade.

La décoration intérieure manifeste la même suprême élégance de l'époque Louis XVI.

GROSBOIS [Boissy-Saint-Léger) (Seine-et-Oise). P. 21.

A l'ancien château du XVIe siècle, Charles de Valois fils naturel de Charles IX donna vers 1616 son visage actuel. Aux angles des anciens bâtiments furent ajoutés quatre pavillons et deux autres édifiés aux angles de la cour qui furent plus tard réunis au bâtiment central par des galeries. La façade en brique et pierre, sur la cour d'honneur, est évidée en demi-lune et accompagnée de deux ailes en retour. De nombreux souvenirs napoléoniens en font un véritable musée.

WIDEVILLE [Davron] (Seine-et-Oise). P. 22.

Le garde des Sceaux, Claude Bullion fit édifier de 1630 à 1640, à l'emplacement d'un ancien château, la demeure en brique et pierre que nous connaissons : bâtiment très simple comprenant un corps central à trois étages, flanqué de deux ailes et de pavillons d'angles. Mais le véritable intérêt de Wideville, c'est sa Nymphée, une des rares grottes qui nous donne le regret de celle de Thétys, de Versailles. C'est un édifice quadrangulaire dont la façade est richement décorée par deux portiques qui encadrent la porte d'entrée; des colonnes doriques baguées de congélations supportent un entablement que surmontent deux statues de fleuves à demi-étendus flanquant un fronton central aux armes des Bullion (1636). L'intérieur de la Nymphée est constitué par une vaste salle en rocailles dont le plafond est décoré d'une fresque attribuée à Simon Vouet. Des niches abritant des statues de Buyster, des stucs attribués à Jacques Sarrazin enfin, les jeux d'eaux à surprises, créent une étonnante ambiance de mystère et de fantaisie.

RAMBOUILLET (Seine-et-Oise). P. 23.

En 1547, Jacques d'Angennes fait reconstruire au goût du jour la vieille demeure, par l'architecte Olivier Ymbert. François Ier, François II y sont magnifiquement reçus et Brantôme écrit : « La maison, le château et le bourg sont très beaux, très illustres et fort renommés en France ». En 1699, Fleuriau d'Armenonville, rachète le château et dépense 500.000 livres pour l'embellissement du parc que dessine Le Nôtre. Trop de luxe et le précédent fâcheux de Fouquet incitent sagement Fleuriau à offrir sa demeure au comte de Toulouse, fils naturel de Louis XIV et de Mme de Montespan. Toulouse avait le goût du faste, il accroît, transforme, augmente les propriétés. Son fils, le duc de Penthièvre, fait tracer un parc anglais, dessiné par Hubert Robert, à côté du jardin à la française. En 1783, il cède le domaine à Louis XVI. La Révolution faillit anéantir Rambouillet mais dès 1805, Napoléon le fait remettre en état par Fontaine qui construit une façade nouvelle harmonisée avec les parties existantes et procède à de nombreux aménagements intérieurs. Le charme de Rambouillet réside peut-être moins dans le château que dans son parc et dans les pittoresques constructions du duc de Penthièvre ou de Louis XVI : la chaumière, l'hermitage que Napoléon avait fait décorer de peintures gothiques.

LA MALMAISON [Rueil] (Seine-et-Oise). P. 24.

Sans les grands souvenirs qui hantent la Malmaison, celle-ci ne mériterait guère plus d'intérêt que toute autre demeure ancienne à laquelle des proportions inhabituelles font donner le nom de château. Aussi le bâtiment de bonne venue mais somme toute assez banal, qui remonte aux XVIIe et XVIIIe siècles, ne mérite guère l'attention. Mais cette grande maison de campagne échut en 1799 à Joséphine de Beauharnais qui venait d'épouser le général Bonaparte. Elle en fit son Trianon. Loin du protocole des Tuileries, l'impératrice pouvait parmi ses intimes s'abandonner aux caprices de sa nature aimable et Napoléon lui-même venait entre deux conseils, entre deux campagnes, y prendre quelques heures de repos. Echappant aux alliés qui investissaient Paris en 1814 il s'y réfugia quatre jours durant et c'est après un ultime pélerinage à Malmaison qu'il partit le 20 juin 1815 pour se rendre aux Anglais.

C'est un peu avec le sentiment ému d'un pélerin que le visiteur pénètre dans cette demeure dont les intérieurs restitués avec beaucoup de soins évoquent à chaque pas leurs hôtes illustres.

MAISONS-LAFFITTE (Seine-et-Oise). P. 25.

Le château de Maisons fut construit de 1643 à 1651 par François Mansart pour René de Longueil. Louis XIV y fut reçu; le comte d'Artois, Lannes duc de Montebello y vécurent. La veuve de celui-ci le vendit en 1818 au banquier Laffitte. Mais les nobles *idées* du banquier, dont la philanthropie marquait un sens avisé de la spéculation, aboutirent au morcellement du domaine; les écuries de Mansart furent rasées, le parc aliéné et transformé en lotissement de quatre cent villas, véritable cité-jardin au milieu de laquelle le château semble anachronique, indésirable et mal à l'aise. L'édifice est cependant un chef-d'œuvre et le premier manifeste de l'architecture classique, chaînon essentiel entre l'idéal de la Renaissance française et celui du XVIIIe siècle.

DAMPIERRE (Seine-et-Oise). P. 26.

Le vieux manoir de Dampierre déjà reconstruit vers 1550 par Jean Duval, trésorier de François Ier fut rebâti par Jules Hardouin-Mansard : au fond de la cour d'honneur se dresse le château de brique et pierre, se détachant sur des frondaisons. Le jardin tracé par Le Nôtre a été restitué au moins dans ses lignes essentielles.

VERSAILLES (Seine-et-Marne). Pl. 27, 28, 29, 30, 31, 32.

Si Versailles m'était conté... les Mille et Une Nuits n'y suffiraient pas. Bornons-nous, dans les modestes limites d'une notice, à rappeler les cinq grands chapitres de son histoire, que l'on peut intituler : le Versailles de Louis XIII; les trois Versailles de Louis XIV; le Versailles de Louis XV.

Le château est né d'un rendez-vous de chasse que possédait Louis XIII parmi les marécages et les forêts. Le premier palais que construit l'architecte Le Roy est une petite construction en brique et pierre avec un grand toit d'ardoise comportant un corps central rectangulaire encadré de deux ailes réunies par un portique bas. La cour ainsi délimitée constitue l'actuelle cour de marbre.

C'est en 1661 que Le Nôtre est chargé des premiers travaux d'aménagement du parc. C'est lui qui en établissant l'énorme plateforme où s'élevera le château permettra la construction d'un édifice aussi prodigieusement étendu. Louis XIV donne l'ordre à Le Vau de commencer les travaux en respectant le bâtiment Louis XIII, tandis que Le Brun transforme les intérieurs. Après le mort de Le Vau en 1670, Jules Hardouin-Mansard modifie la façade sur jardin en surélevant le rez-de-chaussée par la galerie des Glaces. Mansard prolonge la façade de deux ailes en retrait qui l'encadrent, portant le développement total du palais à 500 mètres de façade.

De 1684 à 1690, Mansard achève son œuvre par la nouvelle Orangerie, par la construction du Trianon et de la Chapelle que terminera Robert de Cotte.

Versailles conserve encore l'admirable décor intérieur des appartements de Louis XV, dessinés par Gabriel et complétés plus tard par ceux de Mique pour Marie-Antoinette. Ainsi, peut-on avec les importants ensembles du règne de Louis XIV suivre trois aspects successifs du cadre de la vie des trois Louis.

Le Grand Trianon.

En 1668 au moment où commençaient les grands travaux de Versailles, Louis XIV éprouva le besoin d'un refuge où, loin du chantier bruyant il pût se délasser. Ce fut le Trianon de Porcelaine, conçu par Le Vau, décoré d'un revêtement de carreaux de faïences de Delft. La fragilité de ce décor ne put résister aux intempéries et Mansard, conservant les substructions, proposa en 1687, le projet du Trianon en marbre rose tel qu'actuellement il subsiste. La composition comprend deux corps de bâtiments sans étage que réunit un périsyle à jour. De grandes portes-fenêtres établissent une sorte de communion avec les jardins qui s'intègrent pour ainsi dire à l'ensemble. La polychromie des pilastres et des colonnes de marbre, la blancheur de la pierre, le décor charmant des chapiteaux et des bas-reliefs corrigent ce que cette ordonnance trop symétrique peut avoir de sévère. Ici vécurent Louis XIV et Mme de Maintenon, le Grand Dauphin, Mme de Pompadour, Madame-Mère, Louis-Philippe et la reine Marie-Amélie.

Le Petit Trianon.

Louis XV, c'est-à-dire Mme de Pompadour, voulut aussi son Trianon. J.-A. Gabriel en donna les plans en 1762, Mme du Barry l'inaugura et Marie-Antoinette l'adopta. Le Petit Trianon d'une extrême sobriété annonce le retour à l'antique.

Le goût des bergeries que l'on associe toujours au souvenir de Marie-Antoinette, ne lui est pas personnel et déjà Mme de Pompadour avait demandé en 1750 à Gabriel de lui construire une ferme avec laiterie, basse-cour, volière, pigeonnier. Ces bâtiments ont disparu mais il subsiste *le Pavillon français* où la favorite et le roi se reposaient. Près de la façade du château, Mique construisit une minuscule salle de théâtre dont l'extérieur très simple, presque banal, ne laisse pas supposer le charme des intérieurs, boiseries délicates, plafond de Lagrenée, statues dorées en stuc, amours, guirlandes, torchères, cadre exquis des opéras-comiques que la reine et ses amis se donnaient eux-mêmes. C'est Mique également qui traça le jardin planté d'arbres exotiques aux allées sinueuses avec ses lacs, ses grottes, ses cascades et ses prairies parmi lesquels il disperse ses constructions : la rotonde du Temple de l'Amour, le Belvédère et, plus loin, autour du grand canal, les petites maisons rustiques du hameau chères aux cœurs sensibles.

Les jardins.

Compléments nécessaires de l'architecture, les jardins sont aussi une architecture, la plus passionnante peut-être puisqu'il s'agit de donner une ordonnance à une matière et de discipliner la nature. Pour saisir la perfection de cette logique et de cette magnificence dont Versailles demeure le chef-d'œuvre exemplaire, il faut imaginer qu'avant Le Nôtre, ce n'était qu'un lieu sauvage, de bois et de broussailles marécageux, que les terrasses ont été presque totalement rapportées là où tout maintenant n'est qu'harmonie, grandeur et artifice.

Cette œuvre de longue haleine fut maintes fois remaniée. Les difficultés causées par la nature et la topographie du terrain, par le manque d'eau, auraient été insurmontables sans la volonté tenace de Louis XIV, l'émulation des entrepreneurs; l'invention des artistes et la science des ingénieurs.

LES MESNULS (Seine-et-Oise). P. 33.

Ce bel édifice de la Renaissance fut remanié au XVIIe siècle par le maréchal de Villars. Le château comprend un grand corps de logis rectangulaire et deux ailes en retour sur la cour d'honneur. La façade sévère et monotone a cependant du caractère.

LA CHENAIE [Eaubonne] (Seine-et-Oise). P. 34.

Cl.-N. Ledoux, le grand architecte et urbaniste du XVIIIe siècle, construisit à Eaubonne un véritable lotissement urbain dont seules subsistent l'actuelle mairie et le Petit Château. Il paraît également logique d'attribuer à Ledoux, La Chênaie dont l'ordonnance, la rigueur des proportions, la grande sobriété, révèlent plus qu'une influence. Mais l'intérêt de cette demeure réside cependant moins dans son architecture ou dans le raffinement de son décor intérieur, que dans son charme exemplaire, qui résume toute la perfection de la douceur de vivre du XVIIIe siècle.

CHATEAUDUN (Eure-et-Loire). P. 35.

Châteaudun est à la fois une forteresse et une grande demeure seigneuriale. De la forteresse il subsiste l'important donjon du XIIe siècle, les autres bâtiments : chapelle, aile de Dunois et aile de Longueville sont des XVe et XVIe siècles. C'est Jean, bâtard d'Orléans, général des armées de Charles VII, compagnon de Jeanne d'Arc, plus connu sous le nom fameux de Dunois, qui fit élever la Sainte-Chapelle et la plus grande partie de l'aile ouest que son fils François Ier de Longueville termina par le bel escalier gothique. François II entreprit, en 1511, l'aile nord dite de Longueville.

L'architecture de Châteaudun est un précieux témoignage, de la tradition gothique dans la chapelle, de son évolution dans l'aile Dunois et de sa persistance mêlée aux apports italiens de la première Renaissance, dans l'aile de Longueville.

ANET (Eure-et-Loire). P. 36.

Malgré les mutilations, les transformations, Anet demeure la perle de la Renaissance française et l'expression la plus achevée du génie de Philibert Delorme, celui que Palissy appelait le *Dieu des Maçons.*

La belle Diane de Poitiers, créée duchesse de Valentinois par son royal amant Henri II, fit appel à Philibert en 1546 pour transformer le vieux château féodal. Les travaux commencèrent par le grand logis qui occupait le fond de la cour centrale. Une longue façade, que montrent les gravures de Du Cerceau, fut édifiée, composée d'un péristyle à colonnes jumelées, surmonté d'une alternance de croisées et de demi-croisées couronnés de lucarnes, avec au centre le fameux portique actuellement remonté dans la cour de l'Ecole des Beaux-Arts à Paris. Deux ailes se détachèrent à angle droit et furent reliées par le grand portail. De tous ces édifices démolis sous la Révolution, il ne subsiste que l'aile gauche, la chapelle maintenant isolée et le portail.

Les glorieux vestiges d'Anet et les gravures de Du Cerceau nous permettent de recomposer le parti général de cette demeure et de rétablir la pensée originale de Philibert qui, puisant aux sources de l'antiquité, de la Renaissance italienne et de la tradition française, sut créer une œuvre harmonieuse, classique, dépouillée de tout éclectisme comme de tout archaïsme pittoresque ou disparate.

MAINTENON (Eure-et-Loire). P. 37.

L'opulence qui s'étale sur les façades de Maintenon sent son financier, Jean Cottereau, surintendant des Finances qui acquit le domaine en 1505 et édifia le corps central. Une fille de Cottereau fit passer le domaine à la maison d'Augeras dont le dernier descendant le vendit au marquis de Villeroy. Celui-ci le cède en 1674 à Mme Scarron, la future Mme de Maintenon, qui maria sa nièce Mlle d'Aubigné au fils du maréchal de Noailles, le duc d'Anjou. Depuis lors, le château est resté dans la famille des Noailles.

En plan, le château se présente comme un quadrilatère dont un côté est ouvert sur les jardins. On peut distinguer quatre époques de construction : le donjon du XIIIe siècle, les trois tours cylindriques de brique, du XIVe siècle, les bâtiments de Cottereau, du XVIe siècle et les prolongeant celui du XVIIe siècle bordant la cour d'honneur qui paraît d'une reposante simplicité. Une agréable perspective créée par Le Nôtre comprend au-delà de la cour intérieure, un terre-plein prolongé par un large canal qui dérive le cours de l'Eure.

CANY-BARVILLE (Seine-Inférieure). P. 38.

L'ordonnance de cette grande demeure, en dépit de restaurations trop poussées, reste un modèle de l'architecture de transition entre le style Louis XIII et le style Louis XIV.

Au milieu d'un vaste parc coupé d'avenues et de plans d'eaux, deux pavillons isolés commandent la cour d'honneur, vaste terre-plein entouré d'eau et bordé de balustres, au fond de laquelle se dresse le château de briques et pierres. La perfection de l'unité architecturale provient essentiellement du jeu harmonieux des vides et des pleins de la façade que souligne la répartition colorée des matériaux. Toute décoration sculptée a été proscrite. Seule compte l'architecture et l'on devine, en effet, la marque d'un grand maître que l'on pourrait volontiers identifier avec François Mansart.

CHAMP-DE-BATAILLE [Le Neubourg] (Eure). P. 39.

Le château, édifié de 1680 à 1701 par le comte de Créqui, est une grande construction composée de deux bâtiments symétriques, le château proprement dit et les communs, disposés parallèlement de part et d'autre d'une vaste cour d'honneur. A la solennité de l'extérieur répond le raffinement des intérieurs aménagés au XVIIIe siècle par François d'Harcourt, duc de Beuvron.

LA VACHERIE [Barquet] (Eure). P. 40.

Le château fut construit en 1815 et à travers le goût néo-classique hérité de la fin du XVIIIe siècle, on retrouve l'équilibre, un peu lourd mais sain, d'une œuvre authentique. L'ensemble est d'une géométrie très rationnelle, très pure, qui sent son ingénieur. Les intérieurs sont l'œuvre d'artisans locaux mais ne le cèdent en rien, en qualité, à l'extérieur. Ils constituent un précieux ensemble du décor de la vie au début du XIXe siècle.

BEAUMESNIL (Eure). P. 41.

Beaumesnil est certainement le plus impressionnant et le plus caractéristique château de l'époque Louis XIII. Au centre d'un terre-plein centuré de douves l'édifice dresse la masse de briques et de pierres de ses deux ailes à deux étages coiffées d'un grand toit indépendant qui se soude au pavillon central couronné d'un dôme carré surmonté d'un lanternon. Il est peu vraisemblable que François Mansart en eût été l'architecte car l'on ne retrouve pas son purisme architectural dans la richesse excessive de l'ornementation qu'accentue encore la restauration du XIXe siècle qui lui donne l'aspect déplorable d'un pastiche.

SAINT-ANDRÉ-D'HÉBERTOT (Calvados). P. 42.

Au milieu d'un beau parc à la française, et entouré de douves, le château a été construit en trois étapes distinctes : un massif donjon quadrangulaire du XVIe siècle reconstruit au début du XVIIe qui domine le corps de logis décoré d'un fronton triangulaire, de la fin du XVIIe enfin une construction plus basse ajoutée au début du XIXe siècle. L'allure générale du château est opulente mais sévère.

SAINT-GERMAIN-DE-LIVET (Calvados). P. 43.

Cette pittoresque demeure, édifiée dans une île formée par les bras de la Touque, est construite sur un plan pentagonal autour d'une cour intérieure. Elle comprend un ancien manoir construit en colombage au XVe siècle et le château proprement dit, du XVIe, caractérisé par un curieux appareillage de pierres blanches et de briques vernissées, disposées en damiers, alternativement roses et vertes. La grande salle du manoir a conservé une partie de son décor architectural : poutres peintes, pavages, cheminées et les vestiges d'une fresque du XVe siècle.

FONTAINE-HENRY (Calvados). P. 44.

Sur les soubassements du XIIIe siècle furent édifiés aux XVe et XVIe siècles les principaux bâtiments. Il est possible de suivre dans le décor des façades la transformation des formes au fur et à mesure de l'avancement de la construction, s'éloignant de l'esprit gothique, s'imprégnant d'italianisme pour aboutir enfin au classicisme de la Renaissance purement française, depuis le dessin maigre de l'extrémité droite de l'aile qui se complique entre les deux tourelles d'escalier de contrecourbes et remplages flamboyants, la multiplicité des médaillons, d'entrelacs qui envahissent baies, trumeaux, entablements entre la seconde tourelle et le pavillon, jusqu'à la simplicité ordonnée de celui-ci.

BÉNOUVILLE (Calvados). P. 45.

Bénouville est la seule résidence de campagne, conçue par Ledoux, ayant résisté au vandalisme. Commencée en 1768, la construction fut achevée dix ans plus tard mais le marquis de Livry avait englouti toute sa fortune.

Les façades sont empreintes de grandeur et de puissance. Celle de la cour est la plus remarquable avec son avant-corps légèrement décroché et son pronaos saillant à colonnes très rapprochées. L'ordre qui englobe le rez-de-chaussée, l'étage noble et le second étage, le contraste des faibles entre-colonnements et la diminution graduelle de la largeur des baies dans le sens de la hauteur, accusent et haussent l'échelle de la construction.

BALLEROY (Calvados). P. 46.

La composition du château, révèle les qualités d'un véritable urbanisme et fait songer à François Mansart. Au fond de la cour d'honneur se dressent trois corps de bâtiments juxtaposés : un pavillon central à trois étages, coiffé d'un toit en forme de pyramide surmonté d'un lanternon, flanqué de pavillons plus bas, aux combles indépendants.

Les boiseries, les peintures décoratives du XVIIe siècle rappellent la fortune de J. de choisy, intendant d'Auvergne.

FLAMANVILLE (Manche). P. 47.

Elevé au bord de la falaise d'où il domine la mer, le château est un grand édifice de style Louis XIV qui comprend deux ailes saillantes flanquées de deux pavillons d'angles en retour sur le corps principal. La façade percée de grandes baies rectangulaires est couronnée par un fronton en arc de cercle. Des galeries abritent l'orangerie, les communs encadrent la cour d'honneur et aboutissent à deux pavillons flanqués de tourelles, dont l'un sert de chapelle.

LE BOURG-SAINT-LEONARD (Orne). P. 48.

Au fond d'une vaste cour d'honneur, qu'encadrent largement communs et écuries, se dresse la façade principale du château qui offre l'ordonnance, classique au XVIIIe siècle, d'un avant-corps à peine saillant décoré d'un balcon au dessin léger et de deux pavillons d'angle formant les ailes. L'élégance des détails, la justesse des proportions caractérisent encore le style de J. Hardouin-Mansard, mais avec une certaine lourdeur qui fait songer à Robert de Cotte.

CHATEAU D'O [Mortrée] (Orne). P. 49.

La construction qui s'échelonne sur plusieurs siècles depuis la fin de l'époque gothique jusqu'au XVIIIe siècle ajoute au caractère capricieux d'un édifice bâti sur pilotis, au milieu d'un étang.

La façade orientale, la plus ancienne, en briques et pierres appareillées en damiers, présente la luxuriance d'un décor mi-gothique, mi-renaissance; elle est réunie au corps de logis du XVIIIe siècle, par une ravissante galerie dont les arcs surbaissés, décorés de rinceaux, reposent sur de sveltes colonnes ornées d'hermines, emblème de la famille d'O.

MÉDAVY (Orne). P. 50.

Le château construit dans la seconde moitié du XVIIe siècle à l'emplacement d'une primitive demeure dont il ne reste que deux tours rondes, est constitué par un corps de logis principal d'un seul étage. A l'horizontalité de cette façade, s'oppose le parti vertical des pavillons d'angle décorés par un fronton curviligne, et couverts de larges combles.

CARROUGES (Orne). P. 51.

Ce petit château, plein d'agrément, fut édifié au XVIe siècle par l'évêque de Lisieux, Jean Le Veneur. De cette époque date le porche d'entrée, corps de logis étroit et haut de deux étages, couverts d'un comble pyramidal. Tous les bâtiments, qui n'ont d'autre caractère que la variété de leurs styles et leur rustique simplicité, n'ont qu'un étage surmonté de lucarnes trapues. Le seul luxe de Carrouges est réservé aux ferronneries des grilles ouvrant sur la terrasse, que forgea Isaac Geslin en 1641. Le charme des intérieurs des XVIe, XVIIe et XVIIIe siècles conservés ou reconstitués avec tact, en font une des plus sympathiques demeures de Normandie.

LE LUDE (Sarthe). P. 52.

Quatre tours massives rappellent l'ancienne forteresse et situent les angles du quadrilatère que constitue le château. La façade nord date de l'époque Louis XII, la façade sud de l'époque de François Ier. Pratiquement abandonné au XVIIe siècle, il fut relevé de ses ruines à la fin du XVIIIe et transformé au goût du jour par l'architecte Barré.

CHEMAZÉ (Mayenne). P. 53.

Un ancien prieuré est à l'origine de Chemazé, mais c'est à partir de 1496 que l'abbé Guy Leclerc entreprend la construction du corps de logis que flanque une tour, le plus délicat spécimen de décoration de la Renaissance.

A l'intérieur, la grande salle du rez-de-chaussée possède une remarquable cheminée sculptée avec un cartouche autrefois décoré aux armes de l'abbé. La chambre de Guy Leclerc est voûtée de nervures en liernes et de pendentifs. Au deuxième étage, on peut admirer la charpente en forme de carène renversée.

CRAON (Mayenne). P. 54.

Cette élégante demeure d'un goût suprême fut édifiée pour le marquis d'Armaillé par l'architecte Pomeyrol, Un corps de logis, avec son classique fronton triangulaire, présente une façade d'une parfaite délicatesse; deux pavillons bas couronnés d'une balustrade sont reliés à la maison par de courts passages. La façade sur jardin offre, avec son large fronton cintré, un aspect d'une élégance raffinée. Le jardin à la française, transformé au XIXe siècle en jardin anglais, a été rétabli dans son dessin primitif.

FOULLETORTE (Mayenne). P. 55.

L'actuel château, remplaçant une forteresse, a été construit aux environs de 1570, dans une île de l'Erve. Il se compose d'un corps principal qui ferme le fond de la cour et d'une aile en retour d'équerre. Aile et corps principal se terminent par un pavillon rectangulaire à toiture très importante.

LE ROCHER-MÉZANGERS (Mayenne). P. 56.

De nombreuses constructions disparates, des transformations profondes, marquent les étapes successives du château. Les plus anciennes parties subsistantes, tours d'entrée et tourelle d'escalier polygonale sont de la fin du XVe siècle. Au XVIe fut élevé le corps de logis qui donne sur la tour d'arrivée par une galerie dont les arcades surbaissées sont séparées par des piliers ou des pilastres qui s'élèvent jusqu'au comble. Au XVIIIe siècle un portique monumental fut construit pour relier les tours de l'entrée.

LE ROCHER-PORTAIL [Sainte-Brice-en-Coglès] (Ille-et-Vilaine). P. 57.

Gilles Ruellen, ancien colporteur enrichi, fit construire, en 1608, d'un seul jet, le manoir du Rocher. Les trois corps de bâtiments, sont d'allure imposante et se referment en fer à cheval autour d'une cour d'honneur à balustres, défendue par un saut de loup. De hautes toitures d'ardoise, des frontons curvilignes, s'efforcent d'animer l'austérité du granit breton qui se reflète dans un étang aux eaux dormantes.

BONABAN [La Gouesnière] (Ille-et-Vilaine). P. 58.

L'actuelle demeure de Bonaban est une de ces malouinières, maisons de campagne souvent fort élégantes, que les riches armateurs de Saint-Malo aimaient à se construire pour l'été et qui s'échelonnent en bordure de la mer ou sur les rives de la Rance. Elle est bâtie avec un luxe dont témoigne le matériau employé : le marbre de Gênes. La première pierre fut posée en 1776. Un fronton triangulaire armorié orne le centre de la façade, longue de 80 mètres sur laquelle se détache un perron à double révolution. Quatre tourelles flanquent les angles comme une survivance de la disposition des anciennes défensives.

KERGRIST [Garzeau] (Côtes-du-Nord). P. 59.

Kergrist offre le double visage de deux architectures différentes : une façade sévère, presque féodale et une façade aimable, du XVIIIe siècle qui forment le plus saisissant contraste. Au fond de la cour d'arrivée se dresse le corps de logis du XVe siècle accompagné de deux ailes terminées par des tours cylindriques. Au revers des ailes se déploie une façade classique du XVIIIe siècle décorée d'un fronton triangulaire aux armes des Kergariou et terminée en ses extrémités par deux tours rondes. Les proportions sont bonnes, l'allure élégante et gentiment provinciale.

KERJEAN (Finistère). P. 60.

Kerjean ou « Le Versailles breton ». Si la chronologie ne justifie pas cette appellation, celle-ci s'explique par l'importance et la beauté du bâtiment. Remplaçant un modeste manoir, il fut édifié de 1536 à 1580. L'architecte est inconnu mais de troublantes analogies avec les plans de Villers-Cotterets, Saint-Maur et même Fontainebleau, évoquent Philibert Delorme. Les troubles de la ligue et la tentation que pouvait représenter une si riche demeure expliquent l'allure extérieure de bastille que présente le château hérissé de créneaux. Mais sitôt l'enceinte franchie, le logis s'humanise et s'organise agréablement autour d'une cour intérieure. Cette architecture noble et originale a donné le ton à toutes celles du Léon.

KERLEVENAN [Sarzeau] (Morbihan). P. 61.

C'est un édifice classique, de plan rectangulaire, le chef-d'œuvre de l'époque Louis XVI. L'architecte J.-F. Jouanne s'était inspiré du Petit Trianon mais en lui conférant une ampleur monumentale. Un grand perron donne accès au corps central accusé par un péristyle de quatre colonnes corinthiennes cannelées réunissant les trois baies cintrées du rez-de-chaussée et le premier étage à baies rectangulaires. Au milieu du parc percé de perspectives nombreuses sur le golfe, on découvre une chapelle d'esprit baroque, les écuries du XVIIe siècle, et enfin un petit pavillon octogonal chinois.

JOSSELIN (Morbihan). P. 62.

Plantée au bord de la rivière, la fière demeure des ducs de Rohan apparaît sous son aspect de forteresse avec ses trois hautes tours cylindriques ancrées sur le rocher et son chemin de ronde bordée de machicoulis. Cette façade, ou du moins ce qu'il en reste date du connétable de Clisson, marié en 1370 à l'héritière du Duché de Rohan. L'actuel château et notamment la riche façade du nord-est, est une œuvre exubérante du gothique flamboyant (1490-1505). Des restaurations certainement excessives du XIXe siècle, ne suffisent pas à gâter le charme de cette belle demeure restée jusqu'à nos jours entre les mains de la famille de Rohan.

LE PLESSIS-BOURRÉ [Écuillé] (Maine-et-Loire). P. 63.

Jean Bourré, ministre de Louis XI, Charles VIII et Louis XII, achète Plessis-le-Vent en 1462 et entreprend en 1468 de rebâtir le château dans l'esprit de Langeais qu'il venait de quitter et dont il avait lui-même terminé la reconstruction. La filiation entre les deux édifices est évidente dans la nudité sévère des façades extérieures mais deux mondes les séparent : le premier demeure une forteresse féodale, le second est une résidence seigneuriale. De toutes parts ceinturé de larges douves, le château se compose d'un vaste rectangle cantonné aux angles de quatre grosses tours rondes. Entre la tour nord-est qui abrite la chapelle et celle du sud-est surmontée de machicoulis qui tient lieu de donjon, une galerie communique avec le corps de logis principal. L'aile ouest abrite les cuisines et une grande salle des gardes, dont le plafond est décoré de grisailles pleines d'humour et de gaillardise.

BRISSAC (Maine-et-Loire). P. 64.

Tant d'illustrations et de gloires militaires — pas moins de quatre maréchaux — expliquent la mâle harmonie des tours féodales et des bâtiments du XVIIe siècle du château où fit souche dès le XIIIe siècle, l'antique maison des Cossé, ducs de Brissac. Charles II de Brissac entreprit de reconstruire la demeure familiale. Sa mort, en 1623, interrompit les travaux. Le haut pavillon à dôme qui abrite l'escalier devait marquer le centre de la nouvelle composition. La hardiesse de celle-ci était primitivement accusée par un campanile supportant un Mercure de bronze. De vastes escaliers donnent accès à la salle des gardes, au grand salon, aux appartements où sont exposés des souvenirs et des portraits de famille et à la chapelle, voûtée en nervures prismatiques.

SERRANT (Maine-et-Loire). P. 65.

Serrant fut commencé vers 1547, vendu au duc de Montbazon (1636) à l'académicien Guillaume Boutru (1588-1665) qui compléta la façade, éleva une seconde tour et suréleva d'un étage le corps de logis. A la fin du XVIIe siècle fut édifiée l'aile droite, la chapelle et les pavillons d'entrée. La grosse tour d'angle et l'ordonnance des façades demeurent dans la tradition des châteaux de la Loire mais l'ornementation a perdu toute simplicité et toute liberté. Le décor, pauvre et sévère, donne une impression de froideur et d'ennui. La chapelle fut bâtie par Hardoufn-Mansard.

MONTGEOFFROY (Maine-et-Loire). P. 66.

En 1772, le maréchal de Contades décida de reconstuire le vieux château du XVIe siècle, dont il subsiste encor la chapelle et deux tours rondes. Les plans furent dressés par N. Barré : un corps de bâtiment de deux étages sur rez-de-chaussée avec un avant-corps légèrement saillant, couronné d'un fronton triangulaire orné de trophées encadrant les armes du maréchal de Contade.En trois ans le château fut bâti, meublé, décoré. L'intérieur absolument intact est un précieux exemple de l'art de vivre d'un grand seigneur de l'Ancien Régime.

ÉCHUILLY [Verchers-sur-Layon] (Maine-et-Loire). P. 67.

Cette belle résidence du XVIIIe siècle, au bord du Layon, fut édifiée à l'emplacement d'une ancienne demeure fortifiée dont il reste deux tours d'angle. Deux ailes basses les relient au corps central. Celui-ci, construit de 1730 à 1740, comprend deux étages couverts d'un haut comble percé de lucarnes. Un avant-corps, en légère saillie, au centre de la composition est couronné d'un Fronton triangulaire au dessus duquel s'élève un toit d'ardoise en forme de pyramide tronquée. Deux pavillons d'angle en retour d'equerre réunissent le corps central aux ailes basses.

USSÉ [Rigny-Ussé] (Indre-et-Loire). P. 68.

Jean V de Baeil en 1480 achève le donjon et construit le grand corps de logie. A partir de 1490, Jacques d'Espinay remanie l'aile orientale, élève l'aile occidentale. Son fils continue son œuvre et installe à Ussé une collégiale avec un chapitre. Le château est acheté en 1557 par Suzanne de Bourbon et passe ensuite par voie d'héritage entre les mains de la Maison de Lorraine, puis de Savoie. En 1772, il fut remis à neuf et remeublé. La duchesse de Duras effectua d'importantes restaurations au début du XIXe siècle. En contre-bas du château, de magnifiques terrasses furent aménagées en jardins à la française avant que Vauban ne vînt résider à Ussé, ce qui infirme la légende qui les lui attribue.

LA MOTTE-SONZAY (Indre-et-Loire). P. 69.

Une poterne flanquée de deux tours constitue la plus ancienne partie du château, probablement du XIIIe siècle. Deux ailes de la façade sur la cour d'honneur remontent au XVIe siècle. La tour, actuellement isolée de la chapelle, était reliée au château par des bâtiments qui fermaient entièrement la cour et furent démolis au XIXe siècle.

VILLANDRY (Indre-et-Loire). P. 70.

C'est sur les bases d'un vieux manoir du XIIe siècle que Jean Le Breton, secrétaire d'Etat de François Ier, édifia de 1532 à 1545 le château de Villandry. De l'ancien château féodal subsiste un haut donjon carré du XIVe siècle. Celui de Le Breton se compose d'un corps de logis formant les trois côtés de la cour d'honneur. L'ordre de celle-ci est un des plus purs de la Renaissance tourangelle. Une galerie à portiques dont l'ordonnance rappelle les arcades de Blois se développe au rez-de-chaussée des ailes. L'ordre et la hiérarchie qui président à l'architecture du château se retrouvent dans celle du parc; les étages du château se prolongent sur les terrasses, encadrant les divers jardins. Ceux-ci, restitués plutôt que restaurés par le docteur Carvallo au début de ce siècle, semblent directement sortis d'un plan de Du Cerceau. Ils forment trois cloîtres de terrasses superposées dont chacune domine le jardin précédent et se trouve elle-même dominée par la suivante de sorte que les perspectives sont toujours visibles. Le potager encadré de trois côtés par les terrasses supérieures est bordé d'un cordon d'arbres fruitiers, divisé en neuf carrés de plates-bandes aux couleurs variées entourées de plantes vivaces. Le jardin d'ornement constitué par des broderies de buis taillés ornées de fleurs, comprend une série de parterres découpés en arabesques semés de plantes aromatiques ou de fleurs multicolores. La géométrie sensible de ces jardins, leur symésrie absolue évoque cette merveilleuse civilisation issue des cours d'amour du moyen âge, que chanta Ronsard et qu'illustrent les merveilleuses tapisseries à fleurettes des Ateliers de la Loire.

CHAMPIGNY-SUR-VEUDE (Indre-et-Loire). P. 71.

Le domaine fut cédé en 1635 par Gaston d'Orléans au cardinal de Richelieu qui s'empressa de le démolir. Seule une interdiction du pape Urbain VIII empêcha que la chapelle connut un sort analogue à celui du logis. C'est la chapelle qui mérite essentiellement l'intérêt par la beauté et la qualité de son décor de vitraux. Ce véritable joyau de la Renaissance présente un curieux contraste entre son péristyle de la Renaissance d'inspiration italienne et l'élégance toute tourangelle de sa nef. De sa décoration intérieure, saccagée à la Révolution, il ne subsiste plus que des vitraux exécutés par ordre du cardinal de Givry de 1538 à 1561, dans le style de Pinaigrier et qui représentent des scènes de la vie de saint Louis ainsi que les portraits de princes et princesses de Bourbon, Montpensier, Vendôme, La Roche-sur-Yon.

AZAY-LE-RIDEAU (Indre-et-Loire). P. 72.

Gilles Berthelot, financier, trésorier de France, se fait édifier le château en 1518. En dix ans il était terminé... et confisqué par François Ier. Une telle rapidité d'exécution est une garantie d'harmonie. La marque personnelle de Berthelot et de son épouse est manifeste dans le souci de faire moderne, d'être à la page. Ainsi, le grand escalier à rampes droites et parallèles couvert d'un plafond à caissons ornés de médaillons, indique la mode italienne. C'est une grande nouveauté que l'on ne retrouve alors qu'à Chenonceaux, sensiblement contemporain. De même, le décor habilement ordonné avec ses pilastres, ses bandeaux, évoque encore l'influence ultra-montaine.

AMBOISE (Indre-et-Loire). P. 73, 74, 75.

A la suite de la conspiration du connétable de Richemont, le château fut saisi et annexé au domaine royal (1431). Désormais, Amboise participe aux gestes des Valois : Charles VII y meurt, Louis XI y réside souvent. A la suite de son mariage avec Anne de Bretagne, Charles VIII décide d'aménager la demeure et d'en faire la plus agréable du royaume. Les projets furent magnifiques : « Il veut faire de son château une cité ! » s'écriait l'ambassadeur de Florence, en 1493. Pierre Trinqueau de Blois, dirige les travaux et édifie les deux grosses tours : Hurtault et des Minimes et la chapelle Saint-Blaise ou Saint-Hubert, terminé avant 1494 : Amboise devient un bruyant chantier où tous les corps de métier sont représentés. Un véritable décorateur-ensemblier, Jean Duval, est chargé de l'installation intérieure, mais la mort du roi arrête tous les travaux. La reine cède Amboise à Louise de Savoie qui s'installe avec ses deux enfants : François d'Angoulême et Marguerite de Valois. C'est à nouveau la jeunesse qui donne le ton à Amboise; tournois, danses, festins, jeux, mystères dont Léonard de Vinci était l'ordonnateur. Pendant les guerres de la Ligue, le jeune François II s'y réfugie et subit le siège des bandes huguenotes. Mais c'est la fin des séjours royaux. Louis XIII y vient encore quelquefois chasser et Richelieu transforme le château en prison d'état. La Restauration remit le domaine à la duchesse d'Orléans et, depuis cette époque, il ne cessera d'appartenir à sa Maison.

Deux grosses tours servent d'accès au château par des rampes maçonnées en brique, de faible pente. Le logis du roi est la seule partie habitée qui subsiste avec le bâtiment en retour d'équerre, de l'époque François Ier : le décor extérieur, malgré de nombreuses restaurations qui sont autant de trahisons, affirme le goût de la Renaissance. L'intérieur demeure davantage dans la tradition gothique avec la salle des Etats : longue galerie divisée en deux nefs dont les nervures retombent sur quatre colonnes décorées d'hermines et de fleurs de lys. La petite chapelle Saint-Blaise ou Saint-Hubert, est le joyau d'Amboise, un joyau assez composite où les influences flamandes et italiennes s'y superposent au goût français.

CHENONCEAUX (Indre-et-Loire). P. 76, 77.

Thomas Bohier, général des finances de Normandie et chambellan de Charles VIII, lieutenant général des armées et vice-roi de Naples avait acquis, en 1512, un ancien château qu'il fait raser pour édifier une demeure plus digne de sa récente fortune. Pendant la campagne d'Italie, c'est sa femme Catherine Briçonnet qui dirige le chantier. Mais les époux moururent en 1524 et 1526, laissant inachevée la demeure de leurs rêves, grand pavillon quadrangulaire flanqué de tours rondes, qui devait se prolonger par un pont jeté sur le Cher. Le passif de la succession de Thomas Bohier s'élevait à 190 000 livres redevables au Trésor. Son fils Antoine préféra renoncer à la succession et l'abandonner au roi pour 90 000 livres. François Ier négligea Chenonceaux, mais Henri II l'offre, en 1547, à Diane de Poitiers. Celle-ci fait tracer un vaste parterre à l'italienne et charge probablement Philibert Delorme d'établir le pont qu'elle pensait couvrir d'une galerie. Mais la dernière arche jetée, Henri II meurt et sa maîtresse cède Chenonceaux à la reine-mère en échange de Chaumont. Catherine de Médicis l'embellit et fait construire au-dessus du pont la galerie à deux étages (1580) et couvre la terrasse qui joignait la chapelle à la Librairie. Sur un des côtés de la cour d'honneur, Philibert Delorme élève les communs (les Dômes) et la Chancellerie. Bernard Palissy propose l'idée du parc de Francœuil et des Italiens tracent des jardins dont la restauration du XIXe siècle ne saurait nous donner une idée.

CHAUMONT (Loir-et-Cher). P. 78.

Mieux qu'aucun autre château de la Loire, Chaumont illustre le passage de l'architecture militaire du XVe siècle à la demeure d'agrément du siècle suivant.

Propriété de Pierre d'Amboise, le château fut confisqué par Louis XI, démantelé, en 1466, et finalement restitué. Charles d'Amboise entreprit, en 1472, sa reconstruction. Son fils Charles VII poursuit les travaux et élève, de 1498 à 1510, les deux corps de logis sud et est, de style Louis XII. L'entrée en oblique du château, encadrée de deux tours rondes, s'ouvre au point de jonction de ces deux ailes. Cet appareil d'apparence guerrière est illusoire, mais s'il est de fait inutile, il signale la noble origine du seigneur et illustre ses privilèges. C'est l'attribut d'une classe.

LE MOULIN [Lassay] (Loir-et-Cher). P. 79.

Les travaux de construction du château furent entrepris, en 1490, à la suite d'une charte de 1480, autorisant Philippe de Moulins à fortifier sa demeure. L'architecte Jacques de Persigny utilisa les jeux de briques losangés, rouges et noires, encadrés de chaînages de pierres d'un très plaisant effet. Tout l'appareil à prétentions militaires est une pure convention lorsque l'on songe que les murs de la courtine n'ont que 50 centimètres d'épaisseur et 80 centimètres ceux de la tour d'angle. Ce château-fort n'est, en somme, qu'un château de cartes, significatif de la vanité de son fondateur.

TALCY (Loir-et-Cher). P. 80.

De l'extérieur, l'allure de maison-forte fait illusion et n'a pas d'autre but que de faire bénéficier son propriétaire, le financier florentin Bernard Salviati, allié aux Médicis, des attributs féodaux qui proclament sa noblesse. En tout cas, le pittoresque de cet appareil de machicoulis et de crénelages s'associe heureusement à la grâce de sa galerie intérieure, inspirée de celle de Charles d'Orléans à Blois : même composition, même sobriété du décor. Les aménagements intérieurs de Talcy évoquent avec bonheur la vie de leurs hôtes successifs. Les chambres de Charles IX et de Catherine de Médicis possèdent d'intéressants meubles d'époque. Le grand salon est pourvu de tapisseries et d'un bel ensemble mobilier Louis XIV.

BLOIS (Loir-et-Cher). P. 81.

Le château de Blois, à défaut d'unité, démontre admirablement la continuité de l'architecture française. Certes, l'ensemble donne une impression confuse avec la diversité des styles qui le compose depuis la tour de Foix du XIIIe siècle jusqu'à l'aile de Gaston d'Orléans, de François Mansart. Mais c'est véritablement avec Louis XII que le château de Blois prend une place éminente dans l'histoire de l'art, il préféra interrompre les travaux d'Amboise et s'installer dans sa demeure de Blois dont il fit la première résidence de la Couronne. Les architectes d'Amboise s'y transportent. La conception architecturale demeure foncièrement gothique et l'italianisme n'apparaît que dans les éléments décoratifs de coquilles, dauphins, amours. La mode étrangère s'épanouit dans la galerie du rez-de-chaussée : alternance des piliers cylindriques et carrés dont les chapiteaux composites sont décorés de cornes d'abondance, puttis, oiseaux affrontés.

François Ier entreprend, dès 1515, le rajeunissement et l'embellissement de l'aile nord. Les deux façades sur la cour avec l'escalier, sur l'extérieur avec les loges, furent successivement construites de 1515 à 1524, interrompues seulement par la mort de la reine Claude et le départ du roi pour la campagne de Pavie. Elles marquent le triomphe du style nouveau de la première Renaissance. On a voulu les attribuer à l'architecte italien, Dominique de Cortone, mais il est vraisemblable que Jacques Sourdeau en est l'auteur, car la structure architecturale demeure traditionnelle. Seule la décoration est d'inspiration italienne : chapiteaux tous différents, chiffres et panneaux d'arabesques ciselés au bas du grand escalier. Une conception architecturale nouvelle se manifeste dans la façade extérieure qui s'inspire presque littéralement des façades de Bramante au Vatican : même ordonnance de deux étages d'arcades surmontés d'une colonnade. A son retour de captivité, François Ier préféra Chambord à Blois et les travaux s'arrêtèrent. Blois ne devait plus abriter que les derniers Valois pendant les guerres de Religion et servit de cadre à l'assassinat du duc de Guise; Catherine de Médicis, Marie de Médicis y sont exilées. Gaston d'Orléans rasa une grande partie des bâtiments et demanda au jeune François Mansart les plans d'un palais grandiose qui demeura inachevé. Au grand degré, il renouvelle le thème où la Renaissance avait triomphé à l'escalier de François Ier et il semble que Mansart ait donné à Blois le premier exemple de l'architecture qui triomphera à Versailles.

CHEVERNY (Loir-et-Cher). P. 82.

La situation géographique de Cheverny en plein pays blésois abuse le touriste qui fait le circuit des châteaux de la Loire, car, ni son style ni sa date ne sont ceux de la Renaissance. L'actuel château fut édifié en 1634 par Henri Hurault, comte de Cheverny et présente une remarquable unité architecturale. Il se compose d'un corps central étroit, légèrement saillant, haut de trois étages, flanqué de deux ailes plus basses, aux combles indépendants et que prolongent deux pavillons carrés, coiffés de dômes à pans, surmonté d'un lanterneau. La complexité des toitures contraste avec la simplicité de la façade d'une grande régularité. Les intérieurs admirablement conservés ou restitués par le marquis de Vibraye donnent une parfaite idée du décor de la vie d'un grand seigneur au temps de Louis XIII.

CHAMBORD (Loir-et-Cher). P. 83, 84, 85.

François Ier qui vient d'accéder au trône, veut posséder un palais, à l'image de son ambition et digne de sa jeune gloire. Dominique de Cortone, dit Le Boccador, fournit une maquette qui ne sera pas adoptée, mais qui a certainement influencé les architectes : Pierre Trinqueau, Jacques et Denis Sourdeau, et permet de distinguer la part des maçons français et les apports étrangers. Les travaux furent entrepris en 1519, interrompus pendant la campagne de Pavie et la captivité du roi, et repris dès son retour. Le gros œuvre était terminé en 1533, mais l'achèvement se poursuivra sous le règne de Henri II.

Le parti général est celui d'un château-fort de plaine : une vaste enceinte rectangulaire flanquée à chaque sommet de tours rondes. Sur l'un des grands côtés s'intègre un donjon colossal cantonné de quatre tours d'angle identiques. La façade de ce donjon que prolongent deux ailes qui se raccordent aux deux tours d'angle constitue celle du château. La grande sobriété des murs, percés de trois étages de baies, contraste avec l'exubérance des combles, fort élevés, hérissés de lucarnes, de cheminées monumentales, de clochetons et couronnés par la célèbre lanterne. Les trois autres façades du donjon s'ouvrent sur une vaste cour intérieure. Tout le répertoire ornemental du style François Ier a été utilisé, mais sans véritable souci d'ordonnance. La lanterne contenant deux escaliers à double révolution est un chef-d'œuvre de technique et d'élégance, mais un peu à la manière d'une pièce montée. A l'intérieur du donjon, au croisement des quatre immenses grandes salles, se déroule le grand escalier ajouré avec sa double rampe en spirale. C'est, avec la salle des Gardes, la partie la plus intéressante de l'intérieur du château qui, ayant été aménagé pour le comte de Chambord, manque d'unité. De la tradition gothique du château-fort, Chambord a conservé le plan et le goût de la décoration des parties hautes. Mais cette apparence guerrière est toute illusoire car, doté de moyens défensifs, avec la dispersion de son dispositif et les difficultés de communications d'un bâtiment à l'autre, le château eût été la plus vulnérable des forteresses. L'influence italienne est évidente dans l'emploi des terrasses, paradoxales en cette région pluvieuse, et dans le décor qui, à la différence des palais florentins, ne joue aucun rôle dans la structure et l'équilibre du bâtiment. Il est normal que Chambord ayant été construit après l'aile François Ier de Blois et par le même architecte, l'influence de celle-ci se manifeste, notamment dans l'ordonnance des pilastres qui rythment la surface des murs, étendant leur rôle fonctionnel à celui d'accessoires décoratifs.

LIGNIÈRES (Cher). P. 86.

Cette magnifique demeure classique est certainement la plus grandiose dont puisse s'enorgueillir le Berry. Elle fut construite de 1654 à 1695 par François Le Vau, frère cadet du célèbre Louis Le Vau dont le nom reste associé au Louvre et au premier Versailles. Les bâtiments comprennent un corps de logis principal occupant le fond de la cour et deux pavillons latéraux. La composition des façades est de pur style classique. C'est Colbert qui, en 1683, acquit Lignières, le transmettant à son fils qui y transporta de nombreux souvenirs de famille, œuvres de Coysevox, Rigaud, Mignard, Le Brun, Largillière.

MEILLANT (Cher). P. 87.

C'est Charles II d'Amboise, gouverneur de Lombardie, de 1501 à 1511, qui construisit Meillant. « Milan a fait Meillant. » L'excessive décoration de la façade intérieure de la célèbre tour octogone, dite du Lion, accrédite à la vérité ce malveillant jeu de mots. La sobriété relative des bâtiments contigus fait ressortir l'exubérance des lucarnes dont le galbe effilé se lie par réseau ajouré aux pinacles amortissant les contreforts du décor des cheminées. On pense encore aux portraits sculptés de l'entrée de l'Hôtel Jacques Cœur de Bourges, car le style demeure très gothique d'esprit. Toutefois, le dôme de la tour, surmonté d'un lanternon, affirme déjà le reflet d'une influence italienne.

VALENÇAY (Indre). P. 88.

Valencay est formé de deux ailes en équerre, celle de l'ouest date des XVIIe et XVIIIe siècles. Celle du nord, du XVIe, se développe sur une centaine de mètres et comporte un pavillon central carré : le donjon, de part et d'autre duquel s'étendent deux ailes terminées par des tours d'inégale importance. Un abâtardissement général des formes et du style font de valencay, une œuvre décadente et de second ordre.

VILLEGONGIS (Indre). P. 89.

Le château fut édifié avant 1540 par Avoye de Chabannes, fille naturelle de Louis XI et que trois mariages successifs avaient enrichie. Il est naturel que cette bâtarde royale voulut pour elle une demeure royale et c'est Chambord qui inspira la servile copie de Villegongis. En effet, l'imitation est manifeste à la fois dans la distribution de l'édifice, dans l'ordonnance des pilastres, et surtout dans le décor presque littéral des souches des cheminées, chargées d'ornements finement sculptés. Cette absence d'imagination créatrice que manifeste Villegongis marque pratiquement la fin de l'art des bords de la Loire.

BOUGES (Indre). P. 90.

Une très belle avenue d'arbres forme à la grille d'honneur de Bouges une remarquable perspective au bout de laquelle apparaît le château, élégante construction du XVIIIe siècle, d'une grande sobriété de lignes que viennent accuser l'horizontale de la terrasse du toit et le parti général des hautes fenêtres rectangulaires.

THOUARS (Deux-Sèvres). P. 91.

L'actuel château édifié à partir de 1635, est un important bâtiment de plus de cent mètres de long, flanqué de quatre pavillons Louis XIII et entouré d'un ensemble de terrasses reliées par de monumentaux escaliers. La Sainte-Chapelle, contiguë au pavillon nord du château, est l'œuvre de l'architecte André Amy qui travaille de 1503 à 1514 dans le style de la Renaissance du Val-de-Loire.

SAINT-LOUP-SUR-THOUET (Deux-Sèvres). P. 92.

Entourée de douves d'eau vive alimentées par le Thouet, la demeure se compose de deux parties bien distinctes : un donjon du XIVe-XVe siècle, massive tour carrée, couronnée de machicoulis trop restaurés, et le château proprement dit. Celui-ci a été reconstruit au début du XVIIe siècle. Il offre, sous son allure princière, un corps de logis rectangulaire flanqué de deux ailes en saillie. Les chaînages d'appareil, une haute toiture d'ardoises, caractérisent bien le style Louis XIII. Dans l'élégant pavillon central, surmonté d'un campanile, se développe le grand escalier décoré de remarquables peintures mythologiques.

OIRON (Deux-Sèvres). P. 93.

L'aspect du château avec son grand corps de logis flanqué de pavillons carrés et de deux longues ailes terminées par des tours qui viennent s'y souder à angles droits, dégage la froideur des constructions du grand siècle. Ses dimensions lui donnent des allures de petit palais. Une vaste cour d'honneur, les douves, les terrasses, témoignent du goût fastueux d'Artus Gouffier, grand-maître de France, qui en conçut le plan, et de son fils Claude qui fit exécuter les travaux de 1530 à 1550 environ. Mais l'ouvrage primitif a presqu'entièrement disparu lors des remaniements du maréchal de La Feuillade, au XVIIe siècle. Il n'en subsiste qu'un bel escalier à noyau évidé, une petite chapelle et le grand bâtiment de l'aile gauche. Celui-ci a grande allure avec sa galerie voûtée en forme de cloître, dont les neuf arcades s'appuient sur des piliers en spirales faisant saillie extérieure et formant la base d'élégants contreforts. Au-dessus règne la galerie des fêtes, longue de 55 mètres, dont les fenêtres correspondent aux arcades. A l'intérieur, le goût du grand écuyer pour l'Antiquité se retrouve dans les médaillons d'empereurs romains et se donne libre cours dans les grandes fresques inspirées par l'Eneide. C'est un rare ensemble de décoration intérieure de l'époque Henri II avec son plafond surchargé, sa cheminée monumentale entièrement peinte, et son parquet de petits carreaux émaillés dessinant des labyrinthes.

LA PIERRE-LEVÉE [La Gaubretière] (Vendée). P. 94.

C'est encore un financier qui se fit construire, en 1775, la charmante demeure de Pierre Levée, le « Petit Trianon vendéen », où la grâce élégante d'une « Folie » parisienne se marie à l'aimable simplicité d'une résidence provinciale. La construction est, en effet, de jolies proportions avec son motif central décoré de panneaux sculptés qui encadrent la baie et son fronton qu'accompagne la balustrade du comble plat à l'italienne. Un perron donne accès à l'intérieur qui a été conçu avec le même raffinement délicat et aimable.

LA ROCHEFOUCAULD (Charente). P. 95.

Franchie une première entrée du XVIIe siècle, on se trouve en face d'une seconde du XIVe que dominent deux tours de défense et le grand donjon carré du XIe siècle. Il est flanqué sur la droite par la façade sud édifiée au XVIe siècle, par François II de La Rochefoucauld qui fut parrain de François Ier. Cette belle façade de la Renaissance est percée de baies à meneaux et de jolies lucarnes à pignons sculptés. La façade intérieure sur la cour d'honneur est certainement une des plus belles de France. Trois étages de galeries superposées forment un cadre d'une remarquable harmonie soulignée par l'élégance du décor des pilastres et par la frise des pignons à coquilles et des pinacles. Un escalier à vis de cent huit marches se termine par un pilier autour duquel des têtes d'anges soutiennent les retombées des nervures de la voûte.

LA ROCHECOURBON [Saint-Porchaire] (Charente-Maritime). P. 96.

Le château date en partie du XVe siècle, notamment le pavillon d'entrée couronné de machicoulis et d'une toiture en pyramide qu'un incendie endommagea sérieusement en 1944. Des herses permettaient d'abattre trois ponts-levis sur les douves. Le bâtiment d'habitation a conservé de la fin du XVe siècle deux grosses tours d'angle, circulaires, à quatre étages, terminées par des poivrières. Sous le règne de Louis XIII on reconstruisit le corps de logis en le dotant d'une belle galerie portée par cinq arcades en arc surbaissé. Une terrasse à balustres à laquelle accède un escalier monumental lui donne un soubassement plein de noblesse.

HAUTEFORT (Dordogne). P. 97.

La haute silhouette d'Hautefort au-dessus d'un promontoire fait attendre un altier château-fort et l'on découvre avec étonnement une grande demeure classique encore que celle-ci conserve l'allure de l'ancienne forteresse qui la précédait. Les travaux de l'actuel édifice furent entrepris au début du XVIIe siècle et furent poursuivis au XVIIIe siècle. Au-delà d'une esplanade, une entrée fortifiée que défend un double pont-levis donne accès à la cour d'honneur qui s'ouvre largement sur la terrasse entre les deux tours vers une magnifique perspective. Le corps de logis principal présente une façade régulière couverte de hauts combles d'ardoises entre deux puissants pavillons carrés. L'ensemble est d'une grande pureté de lignes, voisine de la sévérité.

PUYGUILHEM [Villars] (Dordogne). P. 98.

Puyguilhem est un château de la Loire que quelque magicien aurait transféré en plein cœur du Périgord. Il se compose d'un corps de logis d'où se détachent deux ailes en retour sur la face postérieure. Il est limité sur la face d'entrée par deux tours qui flanquent le logis principal à deux étages de fenêtres à meneaux, surmontées de lucarnes très décorées. La grosse tour couronnée d'un chemin de ronde est coiffée d'un toit cônique. Dans l'angle rentrant qu'elle forme avec le corps de logis est logée une tourelle octogonale dont le décor de cordelières et de rosaces caractérise le style Louis XII. La tour quadrangulaire aux angles coupés, contient l'escalier principal auquel donne accès une porte très décorée. Au sommet de la tour, règne un balcon que limite une élégante balustrade de pierre. Cette partie de l'édifice révèle le style de l'époque François Ier. Il semble que deux ateliers différents aient participé à l'exécution du décor, l'un probablement local est accusé par le charme un peu gauche de certains enroulements de lucarnes, des chapiteaux ornés de pampres et de feuilles de chênes, l'autre plus savant, dénote dans le décor en fuseaux des meneaux et dans celui des cheminées monumentales intérieures, l'habileté d'un praticien formé sur les bords de la Loire.

RASTIGNAC [La Bachellerie] (Dordogne). P. 99.

Inattendu en Dordogne, Rastignac évoque bien plutôt une de ces ravissantes résidences de la fin du XVIIIe siècle, plus *folie* que château, que l'on s'attendrait à trouver en Ile-de-France ou dans les environs de Bordeaux ou de Montpellier. Il est très vraisemblable que l'architecte en fut un Parisien et l'on songe à quelque émule de Ledoux, peut-être Victor Louis. La façade sur jardins, semble avoir inspiré celle de la Maison-Blanche à Washington, avec sa colonnade ionique, semi-circulaire, accompagnant le renflement correspondant à la saillie d'un salon ovale.

LE BOUILH [Saint-André-de-Cubzac] (Gironde). P. 100.

L'ancien manoir du Bouilh étant à demi-ruiné, Jean-Frédéric de La Tour du Pin confia le soin de reconstruire la demeure à Victor Louis (1787), qui conçut une résidence aussi originale qu'élégante, mais qui demeura malheureusement inachevée. Seul fut construit le pavillon de l'ouest décoré de colonnes portées par le soubassement du rez-de-chaussée. Les communs, disposés en hémicycle, encadrent la façade de la chapelle. Le grand château d'eau et la Nymphée la "Fuie" du XVIIe siècle, énorme colombier pouvant recevoir 1.200 pigeons, sont de beaux bâtiments utilitaires.

BIRON (Dordogne). P. 101.

De la primitive forteresse que les Albigeois disputèrent à Simon de Montfort au début du XIIe siècle subsiste le mur du donjon, austère, aux énormes contreforts. Pris et brûlé par les Anglais, en 1444, Biron fut alors réparé et augmenté. Une nouvelle cour beaucoup plus vaste fut nivelée au-dessus du plateau supérieur, soutenue par d'imposants murs de terrasse et bordée de bâtiments largement ouverts, plus somptueux et plus conformes aux goûts de l'époque qui n'a pas attendu la Renaissance italienne pour apporter dans son architecture le souci de la clarté et de l'agrément. Les travaux étaient commencés lorsque Pons de Gontaut accompagne Charles VIII outre-monts. Ils furent poursuivis à son retour selon les mêmes principes, avec seulement l'apport sur la robuste construction gothique de quelques décors architecturaux « à la mode d'Ytallie ». Lors de son séjour à Rome, en 1495, Pons de Gontaut obtint du pape Alexandre VI de fonder une chapelle et d'installer un collège de chanoines. Elle était terminée, en 1524 et deux églises s'y trouvent superposées : l'église basse qui sert de paroisse et l'église haute ou du chapître, chapelle seigneuriale et même funéraire. La demeure de Pons fut transformée par ses successeurs, les deux maréchaux de Biron et, au XVIIIe siècle par Armand de Gontaut. Elle conserva cependant sa grande allure gothique, mais gagna une vaste salle des Gardes, son salon de la grande tour carrée, un escalier monumental qui fait communiquer les deux cours intérieures et cette heureuse loggia ouverte sur une des façades de la cour d'honneur avec son grand arc surbaissé, encadrant un magnifique paysage. Une des grandes curiosités de Biron résidait certainement dans la qualité de la statuaire que conservait l'église haute. Ces œuvres sont actuellement au Metropolitain Museum de New York.

VAYRES (Gironde). P. 102.

La forteresse du XIIIe siècle est devenue par les adjonctions des XVIe et XVIIe siècles, une magnifique demeure, très peu militaire d'aspect. Elle est divisée en deux parties : on entre dans une première cour, celle des communs, à laquelle fait suite la cour d'honneur dont elle est séparée par un mur bas creusé de belles niches à l'italienne. La façade intérieure de grande allure est ornée au rez-de-chaussée de quatre arcades séparées par des pilastres et des guirlandes et surmontées de baies rectangulaires à frontons brisés dont les intervalles sont rythmés par des niches peu profondes. Le morceau le plus impressionnant est constitué, au centre de la façade sur les jardins, par un monumental portique soutenu par huit colonnes à bossages rustiques, qui prennent leur appui sur un arc très tendu abritant une Nymphée. Un ensemble d'escaliers à double-révolution conduit aux terrasses, et aux jardins à la française.

BEYCHEVELLE (Gironde). P. 103.

Le château de Beychevelle exerçait au moyen âge un droit de péage sur les bateaux montant ou descendant le fleuve. A son emplacement, le duc d'Epernon fit reconstruire, en 1644, la demeure actuelle, remaniée au XVIIIe siècle : élégante construction de style Louis XIII comprenant un corps de logis à rez-de-chaussée flanqué de deux pavillons.

MARGAUX (Gironde). P. 104.

Une belle allée conduisant au fleuve, une calme plage, des vignobles en parfait alignement, forment le cadre prestigieux de la demeure qui a donné son nom à l'un des plus célèbres crus du Médoc. Le château fut érigé au XVIIIe siècle et présente une élégante façade avec un portique central monumental. Les proportions du degré, des colonnes et du fronton sont pleines de noblesse.

LASSERRE (Lot-et-Garonne). P. 105.

Le bel ensemble du XVIe siècle de Lasserre est constitué par un quadrilatère de bâtiments. Trois pavillons quadrangulaires, d'un étage, réunis par des courtines, s'élèvent sur le côté est. Le château proprement dit, à l'ouest, est flanqué de deux pavillons d'angle carrés, en saillie, unis à un compartiment central par un mur qui repose sur trois arcades en plein cintre. La décoration extérieure, avec ses bossages, est sobre mais d'un bel effet. L'architecte de Lasserre fut un maître maçon parisien qui travailla à l'achèvement de l'Hôtel de Ville de Paris.

MONTAL [Saint-Jean-Lespinasse] (Lot). P. 106.

Montal appartenait à la fin du XVIe siècle au grand sénéchal, Robert de Balzac d'Entraigues. Sa fille, Jehanne, entreprit la reconstruction du château de 1528 à 1534. Les travaux furent alors abandonnés avant l'érection d'une galerie qui devait relier les deux ailes de la cour intérieure. Après être resté par voie d'héritage, entre les mains de la famille d'Escars jusqu'en 1760, Montal connut ensuite les pires vicissitudes. Ce que la Révolution n'osa entreprendre, le vandalisme légal de « la Main-Noire » le réalisa. Ce fut d'abord un nommé Macaire qui, en 1858,arracha toutes les sculptures qui furent transportées à Paris et vendues aux enchères, puis un M. Pichard qui liquida, en 1903, ce qui restait encore. Montal n'était plus qu'une lamentable carcasse et les œuvres d'art qui en faisaient tout l'intérêt étaient dispersées à travers les musées et les collections privées de France ou d'Amérique. L'action généreuse de M. Fenaille, qui se rendit acquéreur du château, en 1908, pour l'offrir ensuite à l'Etat, a permis de reconstituer fidèlement le décor primitif. Grâce au concours du Musée du Louvre et de celui des Arts décoratifs, qui rendirent les précieuses sculptures qu'ils avaient acquises, la cour intérieure a recouvré ses sept bustes encadrés de motifs d'architecture et l'admirable frise qui se développe sur 32 mètres le long sur la double façade de la cour d'honneur.

PIBRAC (Haute-Garonne). P. 107.

Depuis 1540, époque à laquelle la terre de Pibrac entre dans la famille du Faur, le château construit alors n'a cessé d'appartenir à cette maison. Le plan régulier comprend un grand corps de logis central flanqué de deux ailes en retour; au milieu de la façade s'élève une tour à pans coupés, à toit plat débordant; les angles extérieurs des ailes sont cantonnés par deux tours cylindriques accompagnées de tourelles coiffées de poivrières. Les intérieurs du château ont été modifiés et l'on peut déplorer la piété excessive des restaurateurs du XIXe siècle. Ils ont heureusement épargné le « Cabinet des Dames », décoré de portraits féminins de l'époque Louis XIII, et dans la « Mirande », une petite pièce, voûtée d'ogives à nervures, avec son mobilier.

BOURNAZEL (Aveyron). P. 108.

S'inspirant du château de Graves, que venait de faire construire en 1530 l'évêque de Rodez, Jean du Buisson, au retour de son ambassade en Italie, fit reconstruire celui de Bournazel. La façade extérieure n'a rien de remarquable, si ce n'est un souci de régularité et de simplicité dans l'ordonnance des baies qu'accusent les colonnes superposées qui les séparent. A chaque étage, trois grandes arcades en plein cintre s'ouvrent sur une galerie de circulation. Elles sont séparées par des couples de colonnes encadrant une niche étroite ainsi que dans la façade du Louvre de Pierre Lescot. La construction s'arrêta avec les deux ailes nord et orientale; l'aile sud à peine entreprise ne fut jamais terminée.

LA PISCINE [Montpellier] (Hérault). P. 109.

Cette résidence de l'époque Louis XV compte parmi les plus aimables *Folies* des environs de Montpellier. Le château a été construit en 1770 et doit son nom à la vaste pièce d'eau qui s'étend devant la maison. Cette œuvre est toute classique, bien équilibrée et de proportions architecturales heureuses. Une avant-cour fermée par une grille en fer forgé donne accès à la cour d'honneur sur laquelle s'ouvre la façade nord du château. Un corps central, avec pilastres, décoré d'arabesques est couronné par un fronton sculpté. La façade sud, sur les jardins est plus simple, mais d'une élégance raffinée.

UZÈS (Gard). P. 110.

L'aspect féodal du château d'Uzès et de la « Tour Bermonde » du XIIe siècle ne doit pas faire oublier que cette résidence fut élevée au XVIe siècle peut-être par Philibert Delorme pour Antoine de Crussol, premier duc d'Uzès. Le haut corps de logis comporte un rez-de-chaussée et deux étages décorés à colonnes engagées, superposées et de pilastres cannelés qui cantonnent les baies et d'importants trumeaux sculptés. Le grand escalier intérieur du XVIe siècle donne accès aux appartements où sont conservés tous les portraits de la famille d'Uzès, depuis Antoine de Crussol, premier duc et Pair de France, en 1572.

MONTFRIN (Gard). P. 111.

L'important château de Montfrin, situé sur un éperon, domine la ville de sa haute silhouette. Son plan est celui d'une grande composition symétrique formée de grands bâtiments bas à galeries, couverts de terrasses, délimitant la cour d'honneur (XVIIe siècle). Au fond, dans l'axe, la façade principale du château proprement dit est régulièrement percée de baies, soulignée de chaînages et de bandeaux, couronnée d'une large corniche surmontée d'un attique. Les façades est et sud sont ornées au centre de frontons curviligne et triangulaire. Le bloc du château referme ses quatre bâtiments sur une courette intérieure, au centre de laquelle a été conservé le vieux donjon du XIIe siècle, fondé sur des substructions romaines.

CASTILLE [d'Argilliers] (Gard). P. 112.

A quelques kilomètres du pont du Gard, sur la route d'Uzès, on découvre avec surprise d'impressionnantes colonnades en hémicycle. Elles sont dues à la magnificence de Gabriel de Froment, baron de Castille qui, à la suite d'un voyage en Italie, voulut rappeler avec quelque ostentation l'architecture antique. Les embellissements somptueux du domaine de ce maniaque de la colonne peuvent dater de 1805-1809. La recherche visible des axes et des perspectives symétriques témoigne d'un goût très théâtral. A la suite des hémicycles de la colonnade, deux rangées de colonnes conduisent le visiteur jusqu'au portail. Celui-ci franchi, on trouve de part et d'autre de l'allée central les écuries et les communs se faisant pendants. Le château, autrefois bastide, fait face : quadrilatère flanqué de quatre tours, mais agrémenté sur trois côtés d'un balcon porté par trente colonnes.

GRIGNAN (Drôme). P. 113.

Bâtie sur une éminence dressée au milieu de la plaine, taillée dans la roche qui forme une sorte de substruction inaccessible, c'est une forteresse féodale qui évoque la famille des Adhémar Castellane, croisés et gouverneurs de Provence, qui la firent construire. Mme de Sévigné y est morte le 16 avril 1696. Une partie du château — l'entrée massive flanquée de tours crénelées — remonte au XIVe siècle, mais l'intérieur de la forteresse révèle les charmes inattendus de la Renaissance. La façade sud a été construite en 1545, et ce qu'il en reste ne manque pas d'élégance.

ANSOUIS (Vaucluse). P. 114.

Situé sur une colline rocheuse de la vallée de la Durance, le château domine le village dont les maisons s'étagent sur trois versants. On accède par une rampe bordée d'un énorme mur de soutènement en pierre de taille, à la cour d'honneur. Sur celle-ci s'ouvre le logis principal dont les hautes fenêtres, légèrement cintrées sont sommées de frontons brisés. Le décor intérieur, avec son grand escalier, ses plafonds à la française, est digne de l'extérieur. En contre-bas, s'étagent des terrasses qui mettent admirablement en valeur le château et laissent découvrir un spendide panorama.

CHAZERON (Puy-de-Dôme). P. 115.

A l'ancien donjon du XIIIe siècle des sires de Chazeron, fut ajouté, au XVIIe siècle, un corps de logis agrémenté au XVIIIe siècle d'un portique fermant de ses trois arcades la cour haute. Un escalier à double rampe fait communiquer celle-ci avec l'avant-cour bordée des bâtiments, sur rez-de-chaussée, des communs, également du XVIIIe siècle. Ils sont supportés par des soubassements, garnis de balustres toscans.

VIZILLE (Isère). P. 116.

Le château de Vizille exprime parfaitement la majesté souveraine et austère du Dauphiné par son architecture encore féodale et la robuste élégance de son décor classique. Le maréchal de Lesdiguières l'aménagea en véritable caserne et entreprit de le reconstruire, en 1611, ajoutant aux tours de l'ancien donjon féodal un grandiose bâtiment classique en équerre, où se supersposent quatre étages de fenêtres, solidement bordées par un appareil en bossage. On accède au château par une porte monumentale, cantonnée de colonnes toscanes, qui supportent le tympan avec la grande figure équestre du maréchal de Lesdiguières par Jacob Richier. Les deux façades sur la cour et sur le parc ont une allure massive, mais la seconde a plus d'élégance, grâce à la présence d'un grand degré du XVIIe siècle, décoré de bas-reliefs et de statues. Vizille est la résidence d'été du président de la République.

LA BASTIE-D'URFÉ [Saint-Étienne-le-Molard] (Loire). P. 117.

La Bastie appartenait à la famille d'Urfé dès le XIVe siècle. L'ancienne maison-forte fut transformée à la fin du XVe siècle par Pierre II d'Urfé, son fils Claude lui donnant une merveilleuse parure. Dès son retour d'Italie, en 1551, il fit transformer la forteresse en une résidence à l'italienne, précieuse et pittoresque, à l'image de son goût et de sa fantaisie.

Il prolongea le corps de logis sur le côté occidental de la cour par une longue galerie inspirée de celles d'Oiron et de Fontainebleau, mais dont le décor a été altéré par les transformations du XVIIIe siècle. Sur la cour, une loggia monumentale vint doubler la galerie le long de laquelle se développe la rampe douce d'un escalier qui rappelle celui du Palazzo della Raggione, à Vérone. La chapelle et la grotte révèlent curieusement la dévotion traditionnelle et la mode nouvelle de l'Antiquité païenne. La porte de la chapelle est encadrée par deux couples de colonnes qui supportent un entablement et un fronton où des inscriptions hébraïques, grecques et latines indiquent la culture, quelque peu pédante de leur auteur. A l'intérieur, il ne reste plus que les pilastres et la voûte de stucs blancs, bleus et or, sculptée d'emblèmes, d'initiales, de guirlandes dans le goût de Della Robbia. La grotte des rocailles était, au XVIIe siècle, « estimée la plus belle de ce royaume au temps qu'elle fut faite ». Son amusant décor, directement inspiré de l'Italie, est constitué par des parois de cailloux ronds du Lignon, disposés en écailles de poissons, sur lesquelles apparaissent, en haut relief, des nymphes et des tritons.

POMMAY [Lusigny] (Allier). P. 118.

Cette belle composition du début du XVIIe siècle, où s'allient harmonieusement la noblesse, la simplicité et un charme typiquement provincial, se découvre au-delà d'une grande avenue de tilleuls. Passée la grille en fer forgé qui ferme les douves, s'ouvre une première cour encadrée par les bâtiments des communs. Elle donne accès à la cour d'honneur dont les angles sont flanqués de deux grosses tours rondes. Au fond, le château, construit à la fin du règne de Henri IV, mais qui annonce déjà le style Louis XIII, développe suivant une ordonnance symétrique son appareillage de briques de couleurs, si caractéristiques du Bourbonnais. La parfaite proportion des différents corps, coiffés de hautes toitures, le cadre formé par les arbres du parc, affirment un souci de grandeur indiscutable.

TANLAY (Yonne). P. 119.

Construit en 1550, il a conservé une certaine allure féodale avec ses quatre tours d'angle. Le Petit Château (1568) possède de curieux soubassements à bossages et un étage surélevé percé de baies aux linteaux très ornés. Un pont dormant donne accès au pavillon de la Poterne décoré de quatre colonnes baguées très rustiques encadrant des niches. On entre dans la cour bordée à droite et à gauche de bâtiments bas. Au fond se dresse une belle façade habillée de pilastres toscans, cantonnée de deux tourelles à pans coupés. Plus remarquable encore est la façade extérieure limitée par deux tours à dômes superposés surmontés de clochetons. L'intérieur a conservé d'étonnantes décorations murales en camaïeu et notamment des peintures où François de Coligny trouva plaisant de se faire représenter sous les traits d'Hercule dans une composition allégorique où l'on retrouve la reine Catherine de Médicis entre catholiques et protestants, le duc de Guise en Mars et Diane de Poitiers sous les traits de Vénus.

Un long canal de 536 mètres de long sur 25 mètres de large, aboutit à la « Perspective », superbe château d'eau (1645) construit comme un véritable décor d'architecture de théâtre.

ANCY-LE-FRANC (Yonne). P. 120.

Construit à partir de 1546 et jusqu'à la fin du siècle, Ancy-le-Franc donne cependant l'impression d'une œuvre homogène. Français d'exécution, mais Italien d'inspiration, le château aurait été construit d'après les plans de Serlio pour Antoine III de Clermont-Tonnerre. Les quatre façades extérieures sont d'un caractère très sobre, presque sévère, toutes semblables avec leurs baies séparées par des pilastres toscans et des modillons qui soutiennent les corniches. La cour intérieure rectangulaire présente plus de fantaisie, son décor est harmonieusement rythmé par une alternance de plaques de marbre noir et de niches que cantonnent des pilastres cannelés. Les intérieurs somptueux évoquent Fontainebleau et l'on retrouve Le Primatice ou ses élèves dans les fresques des différentes pièces.

FONTAINE-FRANÇAISE (Côte-d'Or). P. 121.

Fontaine-Française était, au XVIIIe siècle, dans un état avancé de ruines. Pour sauver la vieille demeure, son héritière, Charlotte du Pin décida d'épouser Bollioud de Saint-Julien, homme de peu, mais dont la fortune était la garantie de l'avenir. Elle fit reconstruire le château au goût du jour. L'architecte dijonnais Le Jolivet dressa les plans en 1755 : un corps de bâtiment central décoré d'un fronton triangulaire et deux courtes ailes en retour. Un perron à double révolution descend au parterre que décorent deux statues d'Apollon et de Pan par Bouchardon.

BUSSY-RABUTIN (Côte-d'Or). P. 122.

Plus gentilhommière que véritable château, Bussy avait été construit au XVe siècle. Quatre tours subsistent qui furent modifiées au XVIe siècle et réunies par des ailes comportant une galerie et un étage. Dans la tour de gauche était ménagée la chapelle. Le corps de logis fut édifié dès le début du XVIIe siècle par François Rabutin. Les travaux furent poursuivis jusqu'en 1649 par son petit-fils connu par ses fredaines et son esprit. Cet homme extravagant imposait le style qu'il mettait en toutes choses au nouveau décor de son exil. Pendant qu'il écrit pour son plaisir et le divertissement de sa maîtresse son *Histoire amoureuse des Gaules*, il illustre en quelque sorte son roman sur le mur de son château et reconstitue ce monde de la cour, qui lui fait tant défaut, dans sa galerie de trois cents portraits. Tout cela est d'un goût plus que douteux, mais bien dans l'esprit de l'époque. La naïveté un peu prétentieuse du militaire qui se veut humaniste s'affiche dans le salon des Devises dont le décor parlant est constitué à la manière de rébus par des objets, animaux, fleurs. La chambre dite de « Madame de Sévigné » rappelle simplement au touriste les liens de cousinage et d'amitié qui unissaient la marquise et Bussy. Celle de Bussy, reconstituée avec autant de goût que de discrétion, évoque le grand seigneur, campagnard malgré lui, dont l'imagination quelque peu débridée ne peut se fixer que sur des chimères. La célèbre « Tour dorée » et sa rotonde toute décorée de sujets mythologiques, de portraits féminins de reines et de princesses, de légendes équivoques, est bien l'oratoire d'un libertin satisfait de sa rosserie et fier de ses trouvailles spirituelles.

TALMAY (Côte-d'Or). P. 123.

A côté de l'important donjon édifié en 1270 par Guy de Pontailler, l'aimable château du XVIIIe siècle forme un curieux contraste : là, le vestige du pouvoir féodal, ici, la discrète opulence bourgeoise. Rebâti en 1702, Talmay évoque, en effet, toutes les qualités de cette nouvelle classe sociale, mi-noble, mi-bourgeoise qui donna ses meilleurs cadres à la province française. Cette architecture dépouillée, sans apprêt mais élégante, affirme cette solidité, cet esprit de justice et d'autorité, des hôtes de Talmay qui s'identifièrent avec lui. L'architecte en fut J.-L. d'Aviler.

DRÉE [Corbigny] (Saône-et-Loire). P. 124.

C'est Charles Ier de Blanchefort-Créqui, duc de Lesdiguières, qui entreprit, vers 1620, la construction du château de Drée terminé vers 1750 par le comte de Drée. La belle grille d'entrée franchie, on accède à la cour d'honneur au fond de laquelle s'élève la façade encadrée par des ailes en équerre très développées. Elle est décorée par un portique de quatre colonnes supportant un balcon qui se prolonge en hauteur par quatre autres colonnes qui soutiennent l'architrave couronnée par un fronton sculpté aux armes de la Maison de Tournon. L'autre façade beaucoup plus simple, domine les terrasses de beaux jardins à la française, auxquels on accède par un escalier à double-révolution.

SULLY [Saint-Léger] (Saône-et-Loire). P. 125.

Sully est une des plus magnifiques demeures de Bourgogne. L'édifice actuel à l'emplacement d'un château des XIIe, XIIIe siècles, dont il ne subsiste qu'une tour avec son portail, fut construit en 1515 et seulement terminé au début du XVIIe siècle. Le plan en est fort simple : quatre corps de logis enferment une cour carrée, à chaque angle s'élève une tour carrée surmontée d'un campanile. Le pont-levis qui défendait l'entrée a été supprimé et il ne subsiste plus qu'un seul fossé d'enceinte. Les façades de la cour intérieure forment un ensemble un peu austère, d'une grande discipline architecturale. La façade nord-est qui fait face à la vallée, étale sa composition classique du XVIIe siècle avec ses trente-huit baies régulières et son avant-corps sommé d'un fronton triangulaire.

DIGOINE [Palinges] (Saône-et-Loire). P. 126.

Le château fut construit à l'emplacement d'un château-fort en 1709 et terminé en 1779. Au-delà d'une belle grille de fer forgé apparaît le corps central, orné d'un avant-corps qui porte un fronton triangulaire et flanqué de deux pavillons carrée en saillie. La façade sur le parc, plus somptueuse, comporte un portique de six colonnes sur deux étages surmonté d'un fronton de trophées. Deux tours d'angle, cylindriques, dominent la construction de leurs combles en coupoles. Dans un pavillon indépendant a été aménagé un ravissant théâtre qui a conservé sa décoration d'origine, blanc et or.

PIERRE (Saône-et-Loire). P. 127.

Le château de Pierre construit en 1680, offre un modèle d'ordonnance très classique, typiquement Louis XIV. Quatre tours, coiffées de dômes et portant de hauts campaniles, flanquent les deux ailes en retour d'équerre sur chaque façade. Le corps de logis central est ajouré par des arcades en plein-cintre surbaissé. Un fronton, œuvre du sculpteur dijonnais Dubois, se détache sur le comble.

LE GRAND-JARDIN [Joinville] (Haute-Marne). P. 128.

Le Grand-Jardin, construit pour le duc Claude de Guise de 1546 à 1550, demeure le seul important témoignage de l'architecture classique de la Renaissance en Champagne. C'était une propriété de plaisance où le duc avait fait planter à grands frais, de nombreuses essences exotiques. L'édifice est très simple de plan : un seul corps de bâtiment dont les façades sont harmonieusement composées de pilastres cannelés encadrant une niche étroite. Une abondante sculpture décorative orne les bases des niches, les allèges des fenêtres, les caissons de la corniche; des Renommées garnissent les écoinçons de la porte d'entrée surmontée d'un linteau en haut-relief. On croit retrouver le marque d'un artiste influencé par l'Italie; par contre, les proportions des pilastres cannelés et des niches étroites annoncent le nouvel ordre colossal que Pierre Lescot et Philibert Delorme utiliseront dans un projet pour les Tuileries.

MONCLEY (Doubs). P. 129.

En 1775, le Président du Parlement de Besançon se fit construire une sorte de palais au milieu de la campagne comtoise. L'architecte en fut Bertrand. Moncley est une vaste construction en pierres de taille dont la solennelle façade, incurvée en arc-de-cercle, comporte en son centre un péristyle de quatre colonnes coniques surmonté d'un fronton triangulaire, et se termine par deux pavillons carrés. L'autre façade s'enfle d'une demi-rotonde surmontée d'un dôme. Par le péristyle d'entrée, on accède à un vestibule monumental rythmé par les colonnes qui supportent le balcon-galerie desservant les appartements. Les bâtiments des communs, avec leur décor de bossages rustiques rappellent le style de Ledoux, qui construisit les salines d'Arc-et-Senans également en 1775.

HAROUÉ (Meurthe-et-Moselle). P. 130.

Pour reconstruire l'ancien château-fort des Bassompierre qu'il achète en 1720, Marc de Beauveau-Craon fit appel à l'architecte Boffrand. Celui-ci ne conserve que les douves et les substructions sur lesquelles il édifie une demeure princière. La cour d'honneur d'une agréable ordonnance est dominée par une façade, coiffée d'un haut toit, avec des avant-corps latéraux se continuant par des colonnades. Le fronton triangulaire décoré aux armes des Beauveau-Craon soutenues par deux Renommées, est l'œuvre du sculpteur Guibal. Les balcons, la grille d'entrée et la rampe de l'escalier d'honneur sont l'œuvre de l'habile ferronnier nancéen Jean Lamour.

LUNÉVILLE (Meurthe-et-Moselle). P. 131.

Le « Versailles lorrain » fut construit pour le duc Léopold de Lorraine sur les plans de Boffrand, élève de Jules Hardouin-Mansard. Le palais fut terminé en 1714, mais à la mort de Léopold (1729), sa veuve puis son fils François III, futur époux de Marie-Thérèse d'Autriche, continuèrent les aménagements. Lors de la cession de la Lorraine à la France (1737), Lunéville devint la résidence favorite du nouveau duc, le roi Stanislas Leczinski. Le château, d'une noble composition, présente un corps de logis principal avec une façade terminée par deux ailes en retour. Le rez-de-chaussée est percé de baies cintrées, en anse de panier à l'étage. Un péristyle de quatre colonnes supporte un entablement au-dessus duquel règne un fronton triangulaire, le tout coiffé par un dôme octogonal. La chapelle édifiée sur les plans de celle de Versailles se signale par deux campaniles émergeant des combles. Les jardins complètent l'architecture et furent tracés par le nantais Yves des Hours (1711-1718), auquel succède Louis Gervais qui créa les jardins de Schœnbrunn. C'est entre les années 1740 et 1750 que la cour de Lunéville fut à son apogée. Voltaire et Mme du Châtelet en étaient les hôtes les plus fêtés. L'esprit et l'amour y créaient une atmosphère de charme bien propre à faire supporter la solitude austère de la campagne Lorraine.

FLÉVILLE (Meurthe-et-Moselle). P. 132.

Construit à l'emplacement d'une ancienne forteresse dont il subsiste le donjon, le château fut terminé en 1599 mais conserva un aspect féodal. Au fond de la cour d'honneur, s'élève le corps de logis principal à un étage avec un balcon à balustres qui règne sur toute la façade. Les ailes adjacentes encadrent la cour. Mme des Armoises, dame du palais de la reine de Pologne, fit de Fléville une sorte d'hôtel de Rambouillet où se réunissaient les beaux esprits de la cour de Lunéville.

SAVERNE (Bas-Rhin). P. 133.

Résidence des évêques de Strasbourg, Saverne est plus un palais qu'un château et fut, au XVIIIe siècle, l'un des plus superbes de France. Entrepris par le cardinal de Furstemberg sur les plans de l'Italien Thomas Comacio, il fut terminé par le cardinal de Rohan, qui édifia le château de Strasbourg, mais détruit en 1779 par un incendie. C'est son neveu, le Cardinal Louis-René de Rohan-Guéménée, héros malheureux de l'affaire du Collier, qui le fit rebâtir en s'adressant à l'architecte Salins de Montfort.

Un vaste rez-de-chaussée surmonté d'un entresol au-dessus duquel s'élève un étage couronné d'un attique, comprend au centre un avant-corps percé de hautes portes-fenêtres. La façade est couronnée d'un abondant fronton. La façade côté jardin a davantage conservé sa majesté avec ses immenses pilastres qui montent du rez-de-chaussée jusqu'à l'attique, avec son grandiose péristyle de huit colonnes corinthiennes qui soutiennent un entablement. Pillé à la Révolution, abandonné sous l'Empire, le vieux palais devint halle, mairie, caserne, asile pour les veuves des hauts fonctionnaires, de nouveau caserne et attend encore un sort meilleur.

DAMPIERRE (Aube). P. 134.

D'un château construit au XVIe siècle et détruit un siècle plus tard il demeure un Châtelet, corps de logis à deux étages coiffé d'un haut toit et flanqué de quatre tourelles d'angle, qui se dresse au bout d'une grande allée plantée d'arbres et donne accès à la cour d'honneur. Lorsque l'édifice actuel fut construit en 1671, l'architecte conserva le Châtelet pour donner un axe à la composition dont François Mansart aurait laissé un plan. Les appartements furent transformés au goût du jour à la fin du XVIIIe siècle et ont beaucoup souffert pendant la guerre.

LA MOTTE-TILLY (Aube). P. 135.

Le château fut construit en 1752 par l'architecte François-Nicolas Lancret pour l'abbé Terray, Contrôleur général des Finances sous Louis XV. C'est un bel édifice, sobre de décor et d'agréables proportions. Dans l'axe d'une longue avenue, il s'élève au fond d'une cour d'honneur dont les allées encadrent quatre pelouses plantées d'ifs. Il comporte un corps de logis principal avec un rez-de-chaussée et un étage. Des toitures à la Mansart pour les deux ailes et les motifs principaux accompagnent le grand comble du corps de logis. La chapelle, située à gauche du château, a servi de modèle aux pavillons qui existent actuellement aux angles de la cour d'honneur, à l'extrémité des ailes des communs et à l'entrée même du château. La disposition primitive des terrasses qui descendent jusqu'au miroir d'eau que forme un canal de la Seine, a été reconstituée.

BAZEILLES (Ardennes). P. 136.

Louis La Bauche qui fit sa fortune dans le commerce de la dentelle reçut en 1769 ses lettres de noblesse, mais il n'avait pas attendu cette consécration pour élever, en 1742, un château correspondant à son nouveau rang. L'architecte en fut Héré, architecte de Stanislas. La façade principale coiffée d'un toit à la française comporte un corps de logis terminé par deux ailes, aux combles brisés, en faible saillie, avec un étage sur rez-de-chaussée. Sur toute sa longueur règne une corniche qui supporte un large fronton chantourné aux armes des La Bauche et que prolonge de part et d'autre une balustrade décorée d'amours et de vases sculptés.

Chantilly — Entrée du château côté est.

This book dedicated to the châteaux of France is a tribute to a way of life which, when we look back on it, seems to belong to the world of the courtly romances and the fairy stories of Charles Perrault. Nowadays no-one reads *Astrée*, and children no longer hear from their grandmothers the story of Riquet-à-la-Houppe; but people do visit the châteaux and rediscover this vanished world, as if in a dream, in the splendour of the new nightly illuminations. Both the curiosity of the tourists and the imaginative accounts of the guides show a kind of regret or remorse for past wonders, and at the same time a personal satisfaction at being able to share in them—even if only for a few hours.

But the men who built these houses are dead, and their example no longer seems to have any practical application. Factories, sanatoria and hôtels have taken the place of the old châteaux, and near the larger towns the eighteenth century had left a legacy of country villas. Perhaps one should not regret it; it is right that the châteaux should disappear when they no longer have any meaning for us—but the lesson they teach should be preserved, and this has been our aim. Among the thousands to be found on French soil, we have chosen those which seem to be the best examples of a particular artistic style, or a particular period of civilisation. Of course, the selection is an arbitrary one, and bound to be incomplete. A great many famous châteaux will be met with in the pages of this book. Some deserve to be well-known; others are by no means perfect, but their faults or imperfections are equally valuable as evidence. A great number of fine houses are absent because it was considered more necessary to include some provincial residence, less well known and more typical. An anthology of Châteaux without Versailles and Fontainebleau would be unthinkable, but here they are simply included for reference. Anyone wishing to learn more about the French châteaux and gain a new understanding of them should study the books of that supreme authority on the subject, M. E. de Ganay; the architectural *morçeaux choisis* offered here are only intended to present their most characteristic forms—more truly representative because they are the least finalised. In each succeeding century they have been modifier or transformed in accordance with the needs of their occupants, and thus illustrate the most refined civilisation the world has known.

FONTAINEBLEAU (Seine-et-Marne). P. 1, 2, 3.

"Voilà la vraie demeure des rois, la maison des siècles", declared Napoleon in the *Memorial de Sainte-Hélène*.

When François I returned from captivity, he announced that he intended henceforth to reside "in his good town and city of Paris, and in its neighbourhood". This was the beginning of a new and glorious era for Fontainebleau, which in those days was still only an old fortress. In 1528 the architect Gilles Le Breton was put in charge of the building works; he preserved as much of the old fabric as possible, simply adding new courtyard façades and two rectangular pavilions.

To-day the château is approached througt the Cour du Cheval Blanc (the Cour des Adieux), an enormous rectangle with buildings on three sides. The left wing, of brick and stone, may possibly be the work of Martin Chambige. The central block, built by François I and later altered by Philibert Delorme and Primaticcio, consists of five two-storey pavilions with independent roofs, linked together by single-storey buildings. A horseshoe staircase, built by Jean Ducerceau under Louis XIII, leads up to the central pavillon. The right wing, built by the Gabriels in the eighteenth century, consists of a ground floor and two upper storeys. To the right of the horseshoe staircase a vaulted passage leads to the Cour de la Fontaine, with the Bassin des Carpes to the south, the François I gallery to the north, Primaticcio's wing to the west, and the Belle-Cheminée wing opposite it. In no other Renaissance château was the Italianate style expressed with more intransigence than on the east front of this building. On the death of Primaticcio, Jean Bullant built the façade of the wing overlooking the Cour de Diane, which was to contain the state apartments of all the sovereigns who succeeded one another at Fontainebleau. Later, Louis XV built the part overlooking the Jardin de Diane, behind which lies the François I gallery; this Napoleon adapted as his living quarters. Fontainebleau is not only a palace; it is also a style of decoration, and as such plays an essential part in the history of art. François I undertook the interior decoration, which he entrusted to two painters brought from Italy for the purpose: Rosso, formed in the school of Raphael and Michelangelo, in 1530, and Primaticcio, a pupil of Giulio Romano, in 1532.

These two decorators, at the head of a team of collaborators, founded a genuine school. Their major work is the François I gallery (1534-39), characterised by the vigorous interplay of light and shade achieved by the use of stucco in high relief and the calm surfaces of the frescoes. They succeeded in establishing a whole new repertoire of iconography and ornament, with mythological figures, garlands and scrolls. The layout of the park was begun under François I, but it is really the work of Henri IV; to him are due the canal and the Jardin de Diane, the Jardin des Pins and the Parterre du Tibre, later modified by Le Nôtre.

VAUX-LE-VICOMTE [Maincy] (Seine-et-Marne). P. 4, 5.

The fact that Versailles represents the seventeenth-century art of building in its most perfect form is due in large measure to the example of Vaux-le-Vicomte, where this classical style was elaborated. Three great artists—Le Vau, Le Brun and Le Nôtre—created for the *surintendant* Fouquet a masterpiece of architecture such as kings might dream of. The king did dream of it; Versailles was the result. Vaux-le-Vicomte was begun in 1656. Five years later Louis XIV inaugurated it and committed Fouquet to prison.

The château lies at the far end of a vast courtyard, surrounded by a high screen wall. The central block lies back between two wings which project forward in successive stages; its triple doorway has huge banded columns supporting a pediment on the slopes of which recline Michel Anguier's statues of Apollo and Rhea. On the corner pavilions is a colossal order of Ionic pilasters. The garden front is a real triumph; an oval rotunda projects from the centre, crowned with dome and lantern, and entered through a triple doorway. From this rotunda steps lead majestically down, flight by flight, to a garden of parterres, lawns and *broderies*, ornamental pools, grottoes and statues which foreshadow the splendours of Versailles.

GUERMANTÈS (Seine-et-Marne). P. 6.

Claude Viole, Maître ordinaire de la Chambre des Comptes, had the main block built at the beginning of the seventeenth century, together with the two flanking pavilions, two-storey buildings in brick and stone with the characteristic steeply-pitched French roof. In the eighteenth century, the lateral pavilions were extended by the addition of two stone buildings with one main storey and mansard roofs. A long wing at right angles, with one upper storey and a mansard roof, was also rebuilt; it ended in a projecting pavilion with a steep French roof. This wing contains the famous gallery with the coffered ceiling, lit by twenty windows alternating with mirrors and panels painted by Mérelle in 1709. The outside staircase is the work of Robert de Cotte.

ORMESSON (Seine-et-Oise). P. 7.

Ormesson was built in the seventeenth century by Lefèvre d'Ormesson, Conseiller d'Etat, and bears witness to a rare family tradition, since it still belongs to Comte Wladimir d'Ormesson, Ambassadeur de France. The brick and stone château is surrounded by a moat on all four sides, so that it seems to stand in the centre of a vast mirror of water. Two projecting pavilions with mansard roofs flank the central building, which has retained its steep French roof. The garden front with its regularly-spaced bays has a sober classical order, surmounted with a triangular pediment. The park was laid out after designs by Le Nôtre.

JOSSIGNY (Seine-et-Marne). P. 8.

The château was built in 1743. The courtyard façade has a very classical air; but the garden front, with its projecting rotunda, is in the rococo spirit. This charming originality is emphasised by the profile of the roof with its hint of the pagoda, discreetly revealing the exotic taste of the period.

CHAMPS (Seine-et-Marne). P. 9.

Its real creator, at the very beginning of the eighteenth century, was a *laquais*, Paul Poisson, known as Bourvalais; the architect was J. B. Bullet. In 1716 Bourvalais was seized and imprisoned; Champs was acquired in 1718 by the Princesse de Conti, who gave it to the Duc de la Vallière. Madame de Pompadour rented it in 1757, but spent little time there; however, her name and memory cling to the place, and are closely bound up with its prestige.

At the far end of the Cour d'Honneur lies the two-storey façade, formed of a central block framed by two projecting corner pavilions. A cunning superimposing of orders links the fine Doric peristyle of the ground floor, in the style of Le Vau, with the applied Ionic order of the first floor, which carries the triangular pediment. The garden front is similarly made up, but here the central feature is a semi-circular rotunda, occupied by the oval salon. The French windows on the first floor open on to a balcony of fine iron-work; above them is a sculptured panel surmounted by a triangular pediment. Whatever the merits of the architecture, the interior with its Régence and Louis XV decoration is even more interesting. On the ground floor are magnificent rooms decorated and grisaille with panels, and with ceilings painted by Verbeckt. The gardens were laid out in about 1700, and are designed about the symmetrical axis of the château. They consist of two parterres; one of *broderie* between two great lawns, the other in the English style with two circular ornamental ponds lying beyond it, separated by more stretches of lawn.

RARAY (Oise). P. 10.

Raray is one of the strangest of the French châteaux, because of the sculpture surrounding its courtyard—inspired, no doubt, by Gamberaia and Caprarola. These had probably been seen and admired in Italy by Nicolas de Mancy, who had the château built between 1600 and 1625. Two walls pierced by eighteen arched openings enclose the *cour d'honneur* and link the old fifteenth-century château with the new one. Between each opening in the arcade are niches containing busts; the gods and goddesses of antiquity and contemporary worthies are alike represented. Along the crest of the walls thirty-four hounds pursue the stag, which surrenders to them, and the boar which stands at bay.

COMPIÈGNE (Oise). P. 11.

Once a Roman staging camp, then a Merovingian palace, later the residence of Carolingian and Capetian sovereigns—from the earliest beginnings of France's national history Compiègne has remained closely associated with the genealogy of the kings and emperors who have lived there. It was rebuilt by Charles V; but this new palace was replaced in the eighteenth century by the present château. Nothing much remains of the earlier building except the towers with their moats, and a few stretches of wall along the terrace. In 1738 Gabriel was given the task of rebuilding the palace, retaining any parts of the old edifice which could be made use of; but neither he nor his son Jacques-Ange saw the completion of their work, which was taken over by Percier-Fontaine after the Revolution. The *petits appartements* were replaced in 1806 by the Galerie des Fêtes, the apartments of the Emperor and those of the Empress, and the grand staircase. Under the Empire, at the time of Napoleon's meeting with Marie-Louise, Compiègne knew a period of great splendour; but the palace and its interior are chiefly associated with Napoleon III and the Empress-Eugenie. Its real apotheosis belongs to the brilliant age of crinolines and the rustling dresses of Winterhalter's portraits.

CHANTILLY (Oise). P. 12, 13, 14.

The great house of the Montmorency and Condé families, rebuilt by Mansart and Aubert, was demolished in 1799, and nothing now remains of it. The present château was rebuilt between 1876 and 1882 by the Duc d'Aumale, who also undertook the restoration of Le Nôtre's gardens. It was bequeathed to the Institut, and houses a valuable collection which includes the Très Riches Heures du Duc de Berry, the Livre d'Heures d'Etienne Chevalier by Jean Fouquet, and a library of more than twelve thousand volumes. Of the olf domestic quarters, the stables still survive; these palatial buildings do honour to the 250 horses they shelter, and are one of the most magnificent examples of eighteenth-century secular architecture. They were designed by Aubert (1720-1735). The part known as the "Petit Château" was built in about 1560 for the Constable Anne de Montmorency by Jean Bullant, who was working at Ecouen. This building contains the former apartments of the Princes de Condé in the seventeenth and eighteenth centuries.

ROYAUMONT - Palais Abbatial [Asnières-sur-Oise] (Seine-et-Oise). P. 15.

Under the *Régence*, architects had tried to escape from the tyranny of the Greek and Roman orders. At the end of the eighteenth century, however, nothing but antiquity would satisfy them; and after 1780 their ideal was a style of building of the utmost severity, as if antiquity meant for them nothing but grimness, austerity and monotony, and as if the heroes of Plutarch, on whom men claimed to model their behavious, should also inspire the setting in which they lived. Even the clergy were affected by the fashion; the present Abbot's Palace was built in 1781 by the Abbot de Balivières, chaplain of Louis XVI and last commendatory Abbot of Royaumont. The work was carried out between 1785 and 1789 by Le Masson, chief engineer of Ponts et Chaussées, an emulator of Ledoux; he built a sort of Roman villa in the Palladian style.

VILLARCEAUX [Chaussy] (Seine-et-Oise). P. 16.

This enchanting house standes near the old fifteenth-century château, whose little turret is a reminder of Ninon de Lenclos. It was built by J. B. de Tillet de La Bussière on rising ground in the park; the plan was the work of the architect Coutonne (1755). The château lies behind an entrance grill flanked by two pavilions, at the end of a broad carriageway; the building has a central feature crowned by a segmental pediment, and two slightly projecting wings.

Its elegant proportions and the pleasing relationships of the masses are characteristic of Louis XV architecture, and are in keeping with the refinement of the interior.

MÉRY [Méry-sur-Oise] (Seine-et-Oise). P. 17

The old church of Méry is a reminder of the ancient origin of the *seigneurie*. The château itself was rebuilt several times, in the sixteenth, seventeenth and eighteenth centuries. Each facade is very characteristic of the period of its construction, yet in perfect harmony with the neighbouring ones. This deep regard for order and unity displayed on the occasion of each new reconstruction is emphasised by the ornamental balustrade, built in the eighteenth century, which runs along the cornice.

CHAMPLATREUX (Seine-et-Oise). P. 18.

Champlâtreux was rebuilt by Mathieu Molé, who in 1757 had just married a daugter of the banker Samuel Bernard, and was therefore in a position to plan on the grand scale. He approached the architect J. M. Chevotet, who designed a building in the pure classical style, with fine proportions. The rectangular layout consists of a slightly projecting central feature surmounted by a dome, and two pavilions crowned with segmental pediments.

ÉCOUEN (Seine-et-Oise). P. 19.

The château of Ecouen is "le plus français" of all the French Renaissance châteaux, and is certainly the most remarkable one in the neighbourhood of Paris. The present edifice was built by the Constable Anne de Montmorency, who engaged the best artists of the time—probably Charles Billard and certainly Jean Bullant and Jean Goujon—at the time when Philibert Delorme was building Anet. Ecouen is a vast quadrilateral block, with a pavillion flanked by turrets at each corner. The façades, rebuilt in 1807, are without interest, and the main doorway has been moved to Paris; it now stands in the courtyard of the Ecole des Beaux-Arts. Overlooking the *cour d'honneur* are three façades with porticos revealing the architect's desire to create a work inspired by antiquity—they are simple, even severe in style, with superimposed orders, and the effect aimed at is one of monumentality. The château of Ecouen passed from the Montmorency family to the Condé, with whom it remained till the Revo- lution. Since 1807 it has been a *maison d'éducation* of the Légion d'Honneur.

LE MARAIS [Le Val-Saint-Germain] (Seine-et-Oise). P. 20.

Le Marais is one of the last monuments of the *ancien régime*—a veritable palace built (in 1770) after the plans of Barré. The château overlooks an entrance courtyard, surrounded by a moat. The central feature of the façade has a peristyle with four doric columns, and is surmounted by a cupola. The refinement of the architecture is discreetly emphasised by delightful recessed bas-reliefs above the ground-floor windows, and by the cornice with modillions which runs the whole length of the façade. The interior also displays the elegance of the Louis XVI period.

GROSBOIS [Boissy-Saint-Léger) (Seine-et-Oise). P. 21.

The old sixteenth-century château was given its present appearance in about 1616 by Charles de Valois, natural son of Charles IX. Four corner pavilions were added to the old building, and two others were erected at the angles of the courtyard; these were later linked by galleries to the main building. The brick and stone façade overlooking the courtyard is undoubtedly the most harmonious part of the château; it is crescent-shaped, with two wingss et at an angle to it.

WIDEVILLE [Davron] (Seine-et-Oise). P. 22.

Claude Bullion, Keeper of the Seals, had the present brick and stone edifice erected, between 1630 and 1640, on the site of an earlier château. The building is a simple one, consisting of a central three-storey block with two flanking wings and corner pavilions. The most interesting feature of Wideville, however, is the Nymphaeum—one of those rare grottoes calling to mind the Grotte de Thétys at Versailles. This is a rectangular building with a sumptuous façade; Doric columns banded with rock-work support an entablature, with two half-reclining figures of Rivers on either side of a central pediment containing the Bullion arms (1636). Inside is a vast room *en rocailles*, with a ceiling fresco attributed to Simon Vouet. Niches containing statues by Buyster, stuccoes attributed to Jacques Sarrazin, and water effects *à surprises* all contribute to the creation of an atmosphere full of mystery and fantasy.

RAMBOUILLET (Seine-et-Oise). P. 23.

In 1547 Jacques d'Angennes had the old house rebuilt in the prevailing taste by the architect Olivier Ymbert. François I and François II were received there with great magnificence, and Brantôme wrote: ,,La maison, le château et le bourg sont très beaux, très illustres et fort renommés en France". The château was bought in 1699 by Fleuriau d'Armenonville, who spent 500,000 *livres* on laying out the park to Le Nôtre's designs. A surfeit of luxury and the unfortunate example of Fouquet prompted Fleuriau to act with commendable prudence and offer it to the Comte de Toulouse, natural son of Louis XIV and Madame de Montespan. Toulouse had a taste for magnificence; he extended and transformed the property. His son, the Duc de Penthièvre, had an English park laid out by Hubert Robert, beside the garden in the French style. In 1783, he handed it over to Louis XVI. The Revolution very nearly brought about the destruction of Rambouillet; but, beginning in 1805, Napoleon had it restored by Fontaine, who added a new façade in keeping with the existing parts and made various alterations in the interior. The charm of Rambouillet depends, perhaps, less on the château than on the gardens and the picturesque little cottage and hermitage built by the Duc de Penthièvre. Napoleon had the hermitage decorated with paintings in the gothic style.

LA MALMAISON [Rueil] (Seine-et-Oise). P. 24.

Without its haunting memories, Malmaison would be no more interesting than any other house which on account of its size is entitled to be called a château. There is nothing particularly noteworthy about the house itself—a solid but fairly ordinary building dating from the seventeenth and eighteenth centuries. In 1799, however, this large country residence became the property of Josephine de Beauharnais, who had recently married Général Bonaparte. She made it her Trianon; here, away from the protocol of the Tuileries, the Empress was able to follow the dictates of her agreeable nature, and here Napoleon came, between council meetings and campaigns, to snatch a few hours of repose. In 1814 he took refuge at Malmaison for four days, escaping from the allies who had invested Paris; and he paid it a final pilgrimage before leaving on June 20th, 1815, to give himself up to the English. The visitor to Malmaison feels almost as if he were entering a shrine; at every step the carefully restored interiors speak eloquently of its famous inhabitants.

MAISONS-LAFFITTE (Seine-et-Oise). P. 25.

Maisons was built between 1643 and 1651 by François Mansart for René de Longueil. Louis XIV was received in the château; the Count of Artois and Lannes, Duc de Montebello, lived there. The latter's widow sold it in 1818 to the banker Laffitte, whose grand ideas resulted in the breaking-up of the property. His philanthropy revealed a keen eye for speculation. Mansart's stables were demolished, and the park separated from the house and divided into plots for 400 villas—a veritable garden city amid which the château appears as an unwanted and uneasy anachronism. Yet the building is a masterpiece, and the earliest manifesto of the classical style of architecture—an essential link between the ideas of the French Renaissance and those of the eighteenth century.

DAMPIERRE (Seine-et-Oise). P. 26.

The old manor of Dampierre was rebuilt in about 1550 by François I's treasurer, Jean Duval, and again later by Jules Hardouin-Mansard. The brick and stone château lies at the back of the *cour d'honneur*, set against a background of foliage. Le Nôtre's park has been restored, at least in its main lines.

VERSAILLES (Seine-et-Marne). P. 27, 28, 29, 30, 31, 32.

If the whole story of Versailles were to be told—a thousand and one nights would not be long enough. Within the narrow limits of this brief outline, we must confine ourselves to recalling the five great chapters of its history: the Versailles of Louis XIII, the three Versailles of Louis XIV, and the Versailles of Louis XV.

The château originated in a hunting lodge owned by Louis XIII, amongst the woods and marshes. The first palace, built by the architect Le Roy, was a little brick and stone house with a steep slate roof, consisting of a rectangular block between two wings linked by a low portico. The courtyard, thus enclosed is the present Cour de Marbre.

En 1661 Le Nôtre began work on the park. He constructed the enormous platform where the palace was to be built, and thus made possible its prodigious size. Louis XIV ordered Le Vau to begin work on it, keeping the Louis XIII building intact; Le Brun set about transforming the interior.

After Le Vau's death in 1670, Jules Hardouin-Mansard modified the garden front, building the Galerie des Glaces, and added a wing on either side of the façade, set back a little from the central block. This brought the length of the palace to 547 yards. Between 1684 and 1690, Mansard completed his work by building the Orangerie, the Trianon, and the chapel—the latter finished by Robert de Cotte. Versailles still preserves intact the splendid Louis XV interiors designed by Gabriel for the king's apartments; to these were added the apartments decorated by Mique for Marie-Antoinette. In addition, of course, there is important material of the Louis XIV period; it is therefore possible to study the changing aspects of the setting in which the three Louis lived.

Le Grand Trianon.

In 1668, when the work at Versailles was beginning, Louis XIV felt the need of a retreat where he could take refuge from the noise of the building operations. Le Vau therefore designed the Trianon de Porcelaine, decorated with a facing of Delft tiles. This décor was too fragile to stand up to the weather, and in 1687 Mansard suggested making use of the substructure and erecting the pink marble Trianon which we know to-day. It is formed of two blocks without an upper storey, linked by an open peristyle. Enormous French windows establish a kind of relationship with the gardens which form, as it were, an integral part of the whole. The colour of the pilasters and marble columns, the whiteness of the stone, the charming ornamentation of capitals and bas-reliefs, counteract any possible tendency towards severity which such a symmetrical layout might display. Here lived Louis XIV and Madame de Maintenon, the Grand Dauphin, Madame de Pompadour, Madame-Mère, Louis-Philippe and Queen Marie-Amélie.

Le Petit Trianon.

Louis XV also wanted to have his Trianon; or, rather, Madame de Pompadour wanted hers. J. A. Gabriel submitted plans for it in 1762, Madame du Barry inaugurated it, and Marie-Antoinette adopted it. With its extreme soberness of style, the Petit Trianon foreshadowed the return of a taste for antiquity. The fashion for playing at milkmaids, so closely linked in our minds with Marie-Antoinette, was not peculiar to her; in 1750 Madame de Pompadour had already ordered Gabriel to built her a farm with a dairy, a farm-yard, a chickenrun and a pigeon-loft. These buildings have disappeared, but the *Pavillon français* survives—where the king and his favourite used to rest. Near the façade of the château Mique built a tiny theatre; its simple, almost commonplace exterior gives no hint of the enchantment within. The delicate woodwork, the Lagrenée ceiling, the statues in gilded stucco, the cupids and garlands, and the *torchères*, all combined to provide an exquisite setting for the *opéras comiques* which the Queen and her friends used to perform for their own amusement. Mique also laid out the garden of exotic trees with its winding alleys, its lakes and grottoes, its cascades and meadows, amid which he set his Temple d'Amour and his Belvédère—and further on, near the Grand Canal, the little rustic houses of the *hameau*, so dear to the romantically inclined.

Les jardins.

Gardens are a necessary complement to architecture, and are a form of architecture themselves—all the more fascinating because matter must be brought into subjection and nature disciplined. To understand fully the perfection of this logic and magnificence of which Versailles remains the finest example, it must be borne in mind that where now all is grandeur, harmony and artifice, before Le Nôtre there was only a wild uncultivated terrain of woods, scrub and marsh, and that the terraces have almost entirely been actually carried to the spot. This ambitious project underwent endless modifications. The difficulties due to the nature and topography of the site and its lack of water would have been unsurmountable without the determination of Louis XIV, the keen sense of competition amongst the contractors, the invention displayed by the artists and the science of the engineers.

LES MESNULS (Seine-et-Oise). P. 33.

This fine Renaissance building was modified in the seventeenth century by the Maréchal de Villars. The château consists of a large rectangular main block with two wings at right angles, on either side of the *cour d'honneur*. The façade is severe and monotonous, but not without character.

LA CHENAIE [Eaubonne] (Seine-et-Oise). P. 34.

Cl. N. Ledoux, the great eighteenth-century architect and town-planner, built a whole urban housing estate at Eaubonne, of which only the present *mairie* and the Petit Château survive. It is not unreasonable to attribute La Chenaie to Ledoux as well; its regularity, the strictness of its proportions, and its sober character reveal more than just an influence. But the chief interest of this house lies not so much in its architecture or its elegant interiors as in its extraordinary charm, which sums up all the perfection of the gracious eighteenth-century way of life.

CHATEAUDUN (Eure-et-Loire). P. 35.

Châteaudun is both a fortress and a nobleman's mansion. Of the former, the twelfth-century keep still survives; the rest—the chapel, the Dunois wing and the Longueville wing—are more recent, dating from the fifteenth and sixteenth centuries. The Sainte-Chapelle was built by Jean, Bastard of Orleans, Charles VIII's general and the companion of Joan of Arc, better known as Dunois; he was also responsible for the greater part of the west wing, which his son, François I de Longueville, completed by the addition of the fine Gothic staircase. François II, the son of the latter, undertook the construction of the north wing, known as the Longueville wing, in 1511.

The chapel, the Dunois wing and the Longueville wing respectively provide valuable, evidence of the Gothic tradition in architecture, its evolution, and its persistence into the early Renaissance with the addition of Italian elementes.

ANET (Eure-et-Loire). P. 36.

In spite of mutilations and alterations, it remains the pearl of the French Renaissance, and the most complete expression of the genius of Philibert de l'Orme, described by Palissy as *le Dieu des Maçons*.

In 1546 he was summoned by the beautiful Diane de Poitiers (created Duchesse de Valentinois by her royal lover Henri II) to transform the old feudal château of Anet. Work was begun on the main building beyond the central courtyard. A long façade (which can be seen in Du Cerceau's engravings) was constructes; it was composed of a peristyle with coupled columns, and over it broad and narrow windows with dormers above. In the centre was the famous entrance doorway now set up in the courtyard of the Ecole des Beaux-Arts in Paris. Two wings at right angles to the main block were linked by the great gateway. Of all these buildings, demolished during the Revolution, only the left wing, the chapel (now isolated) and the gateway survive. The magnificent remains at Anet and the engravings of Du Cerceau make it possible for us to reconstruct the general lines of the building, and to re-establish Philibert Delorme's original plan. Combining the use of antique and Italian Renaissance sources with the French tradition, he created a work of classical harmony entirely free from eclecticism and from any over-picturesque or disturbing archaism.

MAINTENON (Eure-et-Loire). P. 37.

Jean Cottereau, Surintendant des Finances, acquired the property of Maintenon in 1505 and built the central block; he has left unmistakeable signs of his profession in the opulence displayed on its façades. Through one of his daughters it passed to the Angeras family, whose last surviving member sold it to the Marquis de Villeroy. From the latter it passed in 1674 to Madame Scarron, the future Madame de Maintenon, whose niece Mademoiselle d'Aubigné married the son of the Maréchal de Noailles. Since then the château has remained with the Noailles family. It is built on a quadrilateral plan, with one side of the square lying open to the gardens. Four distinct architectural periods can be identified in its fabric: the thirteenth-century keep, the three cylindrical brick towers of the fourteenth century, Cottereau's sixteenth-century buildings, and the restfully simple seventeenth-century extension of the latter, lying along one side of the *cour d'honneur*. Beyond the inner courtyard extends an agreeable perspective created by Le Nôtre —a terrace, followed by a broad canal which diverts the waters of the Eure.

CANY-BARVILLE (Seine-Inférieure). P. 38.

In spite of over-enthusiastic restoration, this great house remains a fine example of the transition from the Louis XIII style of architecture to that of Louis XIV. In the middle of a vast park intersected with avenues and stretches of water, two isolated pavilions overlook the *cour d'honneur*—an enormous balustraded terrace surrounded by water lying in front of the brick and stone château. Its architectural perfection derives essentially from the harmonious relationship between wall surface and empty space, emphasised by the use of the contrasting colours of the materials. Sculpture has been entirely banned; only the architecture counts, and bears the stamp of a master hand. One is tempted to attribute it to François Mansart.

CHAMP-DE-BATAILLE [Le Neubourg] (Eure). P. 39.

The château was erected by the Comte de Créqui between 1680 and 1701; it is a large building formed of two symmetrical wings—the château proper and the domestic offices, lying parallel to one another on either side of an enormous courtyard. Its elegant eighteenth-century interiors, which we owe to François d'Harcourt, Duc de Beuvron, are fully in keeping with its outward dignity.

LA VACHERIE [Barquet] (Eure). P. 40.

The château was built in 1815; it inherits the neo-classical taste of the late eighteenth century, but although a trifle heavy, perhaps, it is a well-balanced and original creation. It was built by a certain Fillette, a former Conducteur des Ponts et Chaussées, and its pure and rational geometry reveal the hand of the engineer. The inside work was carried out by local artisans, but its quality in no way falls below that of the exterior. The interiors form a most valuable *ensemble* of early nineteenth-century decoration.

BEAUMESNIL (Eure). P. 41.

Beaumesnil is certainly the most impressive and most characteristic château of the Louis XIII period. The brick and stone building stands in the centre of a terrace surrounded by a moat; its two wings, with two upper storeys and separate roofs, lie on either side of a central pavilion with a square dome. It is very unlikely that François Mansart was the architect; the excessive richness of ornamentation is quite foreign to the architectural purity of his work. Nineteenth-century restorers have accentuated this exuberant decoration, and the building now has an unfortunate appearance of pastiche.

SAINT-ANDRÉ-D'HÉBERTOT (Calvados). P. 42.

The château, surrounded by a moat, stands in a fine park laid out in the French style. It was built in three distinct stages; the massive square sixteenth-century keep was rebuilt at the beginning of the seventeenth century; the main building with its triangular pediment dates from the end of the seventeenth century; and finally a lower building was added in the early nineteenth century. The general effect is opulent but forbidding.

SAINT-GERMAIN-DE-LIVET (Calvados). P. 43.

This picturesque building, erected on an island formed by the arms of the Touque, is pentagonal in plan, with an inner courtyard. It consists of an old timbered manor house of the fifteenth century, and the sixteenth-century château proper, characterised by a curious ornamentation of white stones and glazed bricks arranged in a checkerboard pattern of alternating pink and green. The great hall of the manor still retains some of its original features—painted beams, paved flooring, fireplaces, and the remains of a fifteenth-century fresco.

FONTAINE-HENRY (Calvados). P. 44.

The main buildings were erected in the fifteenth and sixteenth centuries over the thirteenth-century foundations. One can follow up on the façades the way in which decorative motifs were transformed as the construction advanced—becoming further removed from the Gothic spirit, adopting an Italianate appearance, and ending with the classicism of the purely French Renaissance; thus, at the right-hand extremity of the wing the decoration is meagre, but it becomes more elaborate between the two staircase towers. Counter-curves and *flamboyant* fillings, medallions and flourishes overflow around windows and across panels and entablatures between the second tower and the pavilion till, in the latter, they give way to orderly simplicity.

BÉNOUVILLE (Calvados). P. 45.

Bénouville is the only one of Ledoux' country houses which has escaped vandalism. It was begun in 1786 and finished ten years later; the Marquis de Livry had used up his entire fortune. The façades are full of power and grandeur; the courtyard front is particularly fine, with its central bay slightly marked off from the rest, and its projecting portico of closely—set columns. The order running up through the ground floor, the *piano nobile* and the second floor, the contrast of the narrow intercolumniations, and the gradual diminution upwards of the height of the openings, all go to stress and magnify the scale of the construction.

BALLEROY (Calvados). P. 46.

The disposition of the château in its setting reveals the hand of a master of town planning and is reminiscent of the work of François Mansart. It overlooks the *cour d'honneur* and consists of three adjoining units: a three-storey central pavilion, with a pyramidal roof crowned with a lantern, set between two lower pavilions with independent roofs.

FLAMANVILLE (Manche). P. 47.

The château stands on the cliff-top, overlooking the sea. It is a large building in the Louis XIV style, and consists of two wings with corner pavilions set at right angles to the main block. The façade with its great rectangular windows carries a segmental pediment. The Orangerie and the domestic offices are housed in galleries which run along the sides of the *cour d'honneur* and terminate in two pavilions with little turrets. One of these pavilions serves as a chapel.

LE BOURG-SAINT-LEONARD (Orne). P. 48.

The main front of the château overlooks a vast courtyard with domestic offices and stables. It has the classical regularity typical of the eighteenth century, and consists of a very slightly projecting central bay with a graceful balcony, and two corner pavilions as wings. The elegance of detail and correctness of proportion are characteristic of the style of J. Hardouin-Mansard; but allied with these qualities is a certain heaviness which suggests Robert de Cotte.

CHATEAU D'O [Mortrée] (Orne). P. 49.

The building of the château lasted from the end of the Gothic period till the eighteenth century, a fact which contributes to its fantastic character. It is a picturesque and heterogeneous building, standing on piles in the middle of a lake. The east front is the oldest; it is of brick and stone, arranged in a checkerboard pattern, and has a luxuriant half-Gothic, half Renaissance air. It is linked to the eighteenth-century *corps de logis* by a delightful gallery; the depressed arches of the latter, with their carved foliage, rest on slender columns decorated with ermines, theemblem of the d'O family.

MÉDAVY (Orne). P. 50.

The château dates from the second half of the seventeenth century, and stands on the site of an earlier building, of which only two round towers remain. The main block has only one upper storey; its horizontal character is counteracted by the vertical corner pavilions with their curvilinear pediments and high roofs.

CARROUGES (Orne). P. 51.

This delightful little château was built in the sixteenth century by Jean le Veneur, Bishop of Lisieux. The gatehouse dates from this period—a tall, narrow building with two upper storeys and a pyramidal roof. The other buildings have only one upper floor surmounted by squat dormer windows, and are characterised by a great variety of styles and a rustic simplicity. Carrouges' one luxury is the wrought-iron work of the terrace railings, made in 1641 by Isaac Geslin. The interiors date from the sixteenth, seventeenth and eighteenth centuries; they have been carefully preserved or restored with discretion, and make Carrouges one of the most delightful houses in Normandy.

LE LUDE (Sarthe). P. 52.

Four massive towers, reminiscent of an old feudal castle, mark the corners of the quadrilateral formed by the château. The north side dates from the time of Louis XII, the south from that of François I. It was more or less abandoned in the seventeenth century, after the death of the Duc de Lude; but a the end of the eighteenth century it was saved from ruin and remodelled in the taste of the time by the architect Barré.

CHEMAZÉ (Mayenne). P. 53.

Chemazé was once an old priory, but in 1496 the Abbot Guy Leclerc undertook the erection of the present main building with its tower—a piece of Renaissance decoration of the utmost delicacy. Inside the great hall on the ground floor is a fine carved fireplace, with a cartouch which once contained the arms of the abbot. The room of *Guy Leclerc* has a ceiling of lierne vaulting with pendentives. On the second floor one can admire the timber-work of the roof, constructed in the form of an inverted ship's hull.

CRAON (Mayenne). P. 54.

This fine house, in perfect taste, was built for the Marquise d'Armaillé by the architect Pomeyrol. The central block, with its classical triangular pediment, has a façade of great delicacy; two low pavilions, crowned with a balustrade, are linked to the house by a short passage. The garden front with its large segmental pediment has a most elegant and refined appearance. The French garden, which was laid out in the English style in the ninettenth century, has been restored in accordance with its original plan.

FOULLETORTE (Mayenne). P. 55.

The present château, on the site of an earlier fortress, was built in about 1570 on an island in the Erve. Together with Renaissance architectural elements it has a number of embrasures for cannon, proving that questions of defence were not overlooked. The château did in fact undergo several sieges in 1590, during the wars of religion.

LE ROCHER-MÉZANGERS (Mayenne). P. 56.

The various stages of the château's evolution are marked by a series of ill-assorted buildings styles and radical alterations undertaken by successive owners. The oldest surviving parts—the entrance towers and the polygonal staircase tower—date from the end of the fifteenth century. The *corps de logis* was built in the sixteenth century; on the side facing the entrance courtyard it has an arcaded gallery whose depressed arches are separated by pillars or pilasters reaching to the roof. In the eighteenth century a monumental portico was built, linking the entrance towers.

LE ROCHER-PORTAIL [Sainte-Brice-en-Coglès] (Ille-et-Vilaine). P. 57.

Gilles Ruellen—a nouveau-ruche tradesman—had in 1608 the manor of Le Rocher built, the work being carried out without interruption. The three blocks have a most impressive appearance, they form a horseshoe shape round a balustraded courtyard, protected by a ha-ha. Steep slate roofs and curvilinear pediments endeavour to animate the austerity of the Breton granite, reflected in the still waters of a lake.

BONABAN [La Gouesnière] (Ille-et-Vilaine). P. 58.

The present house is one of the numerous country mansions, often of great elegance, built by the rich ship-owners of St.-Malo as summer retreats, and strung out along the coast or on the banks of the Rance. The Genoese marble of which it is built is evidence that no expense was spared in its construction. The first stone was laid in 1776. The façade, 87 yards long, triangular has a pediment with armorial bearings in the centre, and a double flight of steps. Four towers mark the corners of the building, echoing the fortifications of earlier times.

KERGRIST [Garzeau] (Côtes-du-Nord). P. 59.

Kergrist has two entirely different aspects, in different architectural styles: one façade is severe, almost feudal in character, and the other, in striking contrast to it, is in the expansive style of the eighteenth century. At the far end of the entrance courtyard is the fifteenth-century *corps de logis*, with two wings ending in cylindrical towers. On the reverse side of these stretches a classical eighteenth-century façade, with a triangular pediment containing the arms of the Kergariou family, and round towers at either end. The proportions are good, and the general effect is elegant and pleasingly provincial.

KERJEAN (Finistère). P. 60.

Kerjean is known as "the Versailles of Brittany". Perhaps its date hardly justifies this description, but it can be explained by the size and beauty of the building. It was erected during the the years between 1536 and 1580, replacing a small manor. The architect is unknown, but analogies with the plans of Villers-Cotterets, Saint-Maur and even Fontainebleau suggest Philibert Delorme. The troubles of the League and the temptation which so rich a house might offer account for its fortress-like appearance—it is bristling with crenellations. But, once inside, the buildings become less forbidding and form a pleasant group round an inner courtyard. Kerjean's dignified and original architectural style has exercised considerable influence.

KERLEVENAN [Sarzeau] (Morbihan). P. 61.

This is a classical building on a rectangular plan—a masterpiece of the Louis XVI period. The architect, J. F. Jouanne, took his inspiration from the Petit Trianon, but he built on a more monumental scale. A flight of steps leads up to the central bay, marked by a peristyle of four fluted Corinthian columns which link the three arched windows of the ground floor with the rectangular ones of the first storey. The park, with its many perspectives opening on to the bay, contains a baroque chapel, the seventeenth-century stables, and a little octagonal pavilion in the Chinese style.

JOSSELIN (Morbihan). P. 62.

On the river bank, the proud home of the Ducs de Rohan appears as a fortress, with its three high round towers rooted in the rock, and its machicolated battlements. This façade—or at least what is left of it—dates from the time of the Connétable de Clisson, who in 1370 married the heiress of the Duchy of Rohan. The present château, especially the rich north-east front, is an exuberant piece of *flamboyant* gothic (1490-1505). The over-restoration carried out in the nineteenth century has not succeeded in destroying the charm of this fine house, which is still in the possession of the Rohan family.

LE PLESSIS-BOURRÉ [Écuillé] (Maine-et-Loire). P. 63.

In 1462 Plessis-le-Vent was bought by Jean Bourré, minister under Louis XI, Charles VIII and Louis XII. In 1468 he undertook the rebuilding of the château after the style of Langeais, which he had just left, and whose reconstruction he had himself completed. The relationship between the two buildings is revealed in the bare severity of the outer façades, but in reality a world of difference separates them: one is a feudal fortress, the other a nobleman's house. The château, surrounded by a broad moat, is a huge rectangular building with four enormous round towers at the corners. Between the north-east tower containing the chapel, and the machicolated south-east one acting as a keep, a gallery communicates with the main living quarters. The west wing house the kitchens, as well as a vast *salle des gardes* with grisaille ceiling decorations full of lively humour.

BRISSAC (Maine-et-Loire). P. 64.

The ancient Cossé family, Ducs de Brissac, who settled here as long ago as the thirteenth century, have a distinguished history; they have provided France with no fewer than four marshals. Some of this military glory is reflected in the sturdy feudal towers which harmonise so well with the seventeenth-century buildings. Charles II de Brissac undertook the rebuilding of the family home; but the work was interrupted by his death in 1623. The high domed pavilion containing the staircase was to have been the central feature of the new scheme; its boldness was originally emphasised by a campanile supporting a bronze Mercury. Enormous staircases lead up to the *salle des gardes*, the great salon, the apartments containing the family relics, and the chapel with its ribbed vaulting.

SERRANT (Maine-et-Loire). P. 65.

Serrant was begun in about 1547, in 1636 it was sold to the Duc de Montbazon, then to the academician Guillaume Boutru (1588-1665) who completed the façade, erected a second tower, and added a storey to the main block. The right wing, the chapel and the entrance pavilions date from the end of the seventeenth century. The big corner tower and the make-up of the façades follow the tradition of the Loire châteaux, but there is no freedom and simplicity of ornamentation. The meagreness and severity of the decoration produce an effect of coldness ans monotony.

MONTGEOFFROY (Maine-et-Loire). P. 66.

In 1772 the Maréchal de Contades decided to rebuild the old sixteenth-century château. The plans were drawn up by N. Barré: a three-storey main building, with a slightly projecting central feature surmounted by a triangular pediment containing trophies and the arms of the Maréchal. The château was built, furnished and decorated in three years. The interior is preserved absolutely intact, and provides most valuable evidence concerning the way of life of a nobleman during the *ancien régime*.

ÉCHUILLY [Verchers-sur-Layon] (Maine-et-Loire). P. 67.

This lovely eighteenth-century house on the banks of the Layon occupies the site of an old fortress, of which two corner towers still stand. Two low wings unite them to the main building. The latter, erected between 1730 and 1740, has two upper storeys and a high roof with dormer windows. The façade by a triangular pediment, above which rises a slate roof, shaped like a truncated pyramid. Two corner pavilions link the main block to the wings.

USSÉ [Rigny-Ussé] (Indre-et-Loire). P. 68.

The keep was completed in 1480 by Jean V de Baeil, who also built the main block. Beginning in 1490, Jacques d'Espinay altered the east wing and built the west one; his son continued the work, and installed a collegiate church and chapter at Ussé. In 1557 the château was finished by Suzanne de Bourbon; it then passed by may of inheritance, first to the House of Lorraine, and later to that of Savoy. In 1772 it was completely renovated and re-furnished. Extensive restorations were carried out at the beginning of the nineteenth century by the Duchesse de Duras.

Below the château, the magnificent terrace gardens were laid out before Vauban came to live at Ussé, thus contradicting the legend which makes him responsible for their design.

LA MOTTE-SONZAY (Indre-et-Loire). P. 69.

The oldest surviving part is a postern between two towers, probably dating from the thirteenth century; two wings overlooking the *cour d'honneur* go back to the sixteenth century. The tower, now standing apart from the chapel, used to be connected to the château by buildings which completely closed in the courtyard, and which were demolished in the nineteenth century.

VILLANDRY (Indre-et-Loire). P. 70.

Villandry was built between 1532 and 1545 on the foundations of an old twelfth-century manor by Jean Le Breton, Secretary of State to François I. Of the old feudal castle, the tall square fourteenth-century keep survives. Le Breton's château forms three sides of the *cour d'honneur*, one of the purest examples of the Renaissance style of Touraine. The gallery running along the ground floor of the wings is reminiscent of the arcades at Blois. The orderly and harmonious relation ships of the architecture are repeated in the layout of the park; the terraces with their gardens form a continuation of the château. These gardens were re-established in their original form by Dr. Carvallo at the beginning of this century, and seem to have been taken straight from a plan by du Cerceau. They form a series of three superimposed terraces, each overlooking the preceding one and itself overlooked by the following one, so that the view is always uninterrupted. The Kitchen garden, bordered with fruit trees, is divided into nine square beds of different colours, surrounded by perennials. The ornamental garden consists of *broderies* of clipped box outlining a series of parterres in arabesque patterns filled with aromatic plants and multicoloured flowers. The sensitive geometry of these gardens and their perfect symmetry call to mind the way of life derived from the mediaeval *cours d'amour*, celebrated in the verses of Ronsard and woven into the wonderful flowerscattered tapestries produced in the Loire workshops.

CHAMPIGNY-SUR-VEUDE (Indre-et-Loire). P. 71.

In 1635 Gaston d'Orléans handed the property over to Richelieu, who set about demolishing it; an order of Urban VIII saved the chapel from suffering the same fate as the living quarters. This chapel is of particular interest because of its fine windows; it is a little Renaissance gem, and its Italianate peristyle contrasts strangely with the entirely regional character of its elegant nave. The interior was looted during the Revolution, and all that now remains of its decoration is a series of windows in the style of Pinaigrier, representing scenes from the life of St. Louis and portraits of the princes and princesses of Bourbon, Montpensier, Vendôme, and La Roche-sur-Yon.

AZAY-LE-RIDEAU (Indre-et-Loire). P. 72.

The château was built in 1518 by Gilles Berthelot, financier and also Treasurer of France. In ten years it was finished... and confiscated by François I. The speed with which it was built guaranteed unity of style; and Berthelot and his wife have stamped it with their own personality. Their evident anxiety to be up-to-the-minute is manifest, for example, in the grand staircase with its straight parallel banister rails and its coffered ceiling adorned with medallions in the Italian fashion. This was a tremendous innovation, and the only other place where it was also to be found at that time was in Chenonceaux—almost exactly contemporary. In the same way, the skifully designed interiors with their pilasters and *bandeaux* also betray ultramontane influence.

AMBOISE (Indre-et-Loire). P. 73, 74, 75.

After the conspiracy of the Connétable de Richemont, the castle was siezed and annexed to the crown (1431), after which it played its part in the chronicles of the Valois. Charles VII died at Amboise, and Louis XI often resided there. Charles VIII, fater his marriage with Anne of Brittany, decided to put the château in order and to make it the finest in the kingdom. The schemes were exceedingly ambitious. "He wishes to make his castle into a whole city!" exclaimed the ambassador of Florence, in 1493. Pierre Trinqueau of Blois was put in charge of the work; he built the Tour Hurtault and the Tour des Minimes, also the chapel of St. Blaise or St. Hubert, completed before 1494. Amboise became a noisy builder's yard, where every trade was represented. The interior installations were entrusted to Jean Duval, a gifted designer; but work was brought to a standstill by the death of the king. The queen handed Amboise over to Louise de Savoie, who settled there with her two children, François d'Angoulême and Marguerite de Valois. Once again, youth set the tone; and Amboise was entertained by tourneys, dancing, festivities, games, and mystery plays, organised by no less a genius than Leonardo da Vinci. During the wars of the League the young François II took refuge there and was besieged by the Huguenot bands. But its career as a royal residence was over. Louis XIII still came there occasionally to hunt; Richelieu used the château as a state prison. At the Restoration the property was handed over to the Duchesse d'Orléans, with whose family it has remained ever since.

Two great towers give access to the château by means of gently sloping brick ramps. The king's apartments, together with the building at right angles, are the only inhabited buildings still surviving from the François I period. The exterior, in spite of repeated restorations far from true to the original, reveals the taste of the Renaissance; the interior remains more in the Gothic tradition with the Salle des Etats—a long gallery divided into two "naves", the ribs of whose vaulting spring from four columns decorated with ermines and fleurs de lys. The little chapel of St. Blaise or St. Hubert is the jewel of Amboise; a somewhat composite treasure in which Flemish and Italian influences are superimposed on French taste.

CHENONCEAUX (Indre-et-Loire). P. 76, 77.

Thomas Bohier, Général des Finances of Normandy and Charles VIII's Chamberlain, Lieutenant-General of the Armies and Viceroy of Naples, acquired in 1512 an old château which he demolished in order to build a house more in keeping with the recent state of his fortunes. During the Italian campaign the work was directed by his wife Catherine Briçonnet. But the couple died in 1524 and 1526, leaving unfinished their dream house—a great quadrangular pavilion with round towers, which was intended to incorporate a bridge across the Cher. The tax on Thomas Bohier's inheritance amounted to 190,000 *livres* to be paid into the Treasury; his son Antoine preferred to give up his right of succession, and handed the property over to the king for 90,000 *livres*. François I neglected Chenonceaux, but in 1547 Henri II offered it to Diane de Poitiers. She had a huge parterre laid out *à l'italienne;* and it seems probable that Philibert Delorme was the architect put in charge of the construction of the bridge, which she planned to have covered with a gallery. But when the last arch had been thrown across the river, Henri II died, and his mistress exchanged Chenonceaux with the Queen-Mother for Chaumont. Catherine de Medicis contributed to its embellishment, and had the two-storey gallery erected on the bridge (1580); she also roofed in the terrace leading from the chapel to the library. Philibert Delorme built the domestic offices *(les Dômes)* and the Chancellery along one side of the *cour d'honneur*. Bernard Palissy suggested the idea of the Parc de Francœuil, and the gardens were laid out by Italians; their nineteenth-century restoration gives no idea of their original appearance.

CHAUMONT (Loir-et-Cher). P. 78.

Chaumont demonstrates more clearly than any other Loire château the change over from the military architecture of the fifteenth century to the *demeure d'agrément* of the century following. The château, the property of Pierre d'Amboise, was confiscated by Louis XI, dismantled in 1466, and finally rebuilt. The reconstruction was undertaken by Charles d'Amboise in 1472. His son Charles VII carried on the work, and erected the south and east wings, in the Louis XII style, between 1498 and 1510. The entrance with its round towers is set obliquely, and lies at the junction of these two wings. The warlike appearance of the château is only an illusion; but although it was of no practical use it served to advertise the noble origins of the owner and the privileges he enjoyed; fortified houses were permitted only to a certain class of society.

LE MOULIN [Lassay] (Loir-et-Cher). P. 79.

The building of the château was undertaken in 1490 as the result of a charter of 1480 authorising Philippe de Moulins to fortify his house. The architect, Jacques de Persigny made use of diamond-patterned brickwork in red and black, framed in courses of masonry, to produce a very agreeable effect. All the military paraphernalia is pure convention, as can be seen from the fact that the curtain wall is only 20 inches thick, and the walls of the corner tower little more than 30 inches thick. In fact, the fortress is nothing but a house of cards—a monument to the vanity of its founder.

TALCY (Loir-et-Cher). P. 80.

The fortress-like aspect of the exterior is only a sham—the feudal attributes designed to proclaim that the proprietor belonged to the nobility. It was owned by the Florentine financier Bernardo Salviati, a connection of the Medici family. In any case, the picturesque character of this adornment of machicolation and crenellation accords very agreeably with the graceful inner gallery, inspired by that of Charles d'Orléans at Blois (it has the same compositional elements and the same sober decorative style). The interiors at Talcy are pleasantly evocative of the lives of their successive occupants. The rooms of Charles IX and of Catherine de' Medici contain interesting period furniture; the *grand salon* has a fine set of tapestries ans furniture of the Louis XIV period.

BLOIS (Loir-et-Cher). P. 81.

Through its very lack of unity, the château of Blois is an admirable demonstration of the continuity of French architecture. It is true that the general impression is one of confusion, owing to the diversity of styles represented—from the thirteenth-century Tour de Foix to the wing built by François Mansart for Gaston d'Orléans; under Louis XII, however, the château becomes of great importance to the history of art, he decided to break off work at Amboise and take up his quarters at Blois, which he made the chief residence of the Crown. The architects of Amboise were transferred there. The architectural conception remains fundamentally Gothic, and the Italian influence is only seen in decorative elements such as shells, dolphins and cupids. The foreign style blossoms out in the ground-floor gallery with its alternating cylindrical and square columns, their composite capitals adorned with cornucopias, *putti* and heraldic birds.

In 1515 François I began the renovation and improvement of the north wing. The two courtyard façades with the staircase, and the exterior ones with the loggias, were built during the yeats 1515 to 1524, the only interruptions being caused by the death of Queen Claude and the king's departure for the Pavia campaign. These constructions record the triumph of the new Early Renaissance style; they have been attributed to the Italian Domenico da Cortona, but it is possible that they are by Jacques Sourdeau, because the architectural structure remains traditional. It is only the decoration which is Italian in inspiration : capitals all differing from each other, carved ciphers and panels of arabesques at the foot of the grand staircase. A new architectural conception is manifest in the outer façade, almost literally inspired by Bramante's façades in the Vatican; it has a similar arrangement of two storeys of arcades with a colonnade above. On his return from captivity, François I preferred Chambord to Blois, and work on the latter was halted. The last of the Valois took refuge there during the wars of religion, and the Duc de Guise was assassinated there. Catherine de Medici and Marie de Medici were exiled to Blois. Gaston d'Orléans pulled down a large part of the buildings and ordered the young François Mansart to prepare plans for an imposing palace which was never completed. Mansart took up anew the Renaissance theme of the François I staircase, and seems to have produced at Blois the earliest example of the style of architecture which was to triumph at Versailles.

CHEVERNY (Loir-et-Cher). P. 82.

Cheverny's geographical situation is misleading to the tourist who is making the rounds of the Loire châteaux; in spite of its nearness to Blois, it is not a Renaissance building, either in style or in actual date. The present château was built in 1634 by Henri Hurault, Comte de Cheverny, and has remarkable architectural unity. It consists of a narrow, slightly projecting central block of three storeys, between two lower wings with separate roofs; each wing ends in a square domed pavilion, surmounted by a lantern. The complicated roof system is in sharp contrast to the simplicity and regularity of the façade. The interiors have been admirably preserved or restored by the Marquis de Vibraye, and are a perfect example of the setting of a noblemen's life in the time of Louis XIII.

CHAMBORD (Loir-et-Cher). P. 83, 84, 85.

François I, newly established on the throne, wished to own a palace which would match his ambition and be worthy of his youthful fame. Domenico da Cortona "Il Boccador" prepared a design which was not adopted, but which certainly influenced the architects, Pierre Trinqueau and Jacques and Denis Sourdeau, and makes it possible to distinguish between the work of the French masons and that of foreign contributors. Building was begun in 1519, interrupted during the Pavia campaign and the King's captivity, and taken up again immediately on his return. The main structure was finished in 1533, but the work went on during the reign of Henri II. The general layout is that of a fortress built on a plain: a huge rectangular enclosure with round towers. One of the long sides takes in a colossal "keep" with four identical towers at the corners; its façade, with the flabking wings connecting it to the corner towers, forms the main front of the château. The severity of the walls, pierced with three rows of windows, contrasts strongly with the exuberance of the roof, bristling with dormer windows, monumental chimneys and bell-turrets and surmounted by the famous lantern. The three other sides of the keep look on to a vast inner courtyard. All the ornamental repertory of the François I style has been employed, but without little thought has been devoted to its arrangement. The lantern and the celebrated double staircase are a masterpiece of elegance and technical skill, but smack somewhat of the *pièce montée*. Inside the "keep", at the meeting-place of the four enormous *salles*, is the great double spiral staircase, with its pierced balustrade. Together with the Salle des Gardes, this is the most interesting part of the interior, which lacks coherence due to the alterations carried out by the Comte de Chambord.

Chambord has preserved something of the Gothic fortress tradition in its plan and in the decoration of the upper parts. Its warlike appearance, however, is merely a pretence; even had it the means of defending itself, it would have been extremely vulnerable owing to its sprawling layout and the difficulty of communication between one building and the next. The Italian influence is clearly visible in the use of terraces—a paradox in this rainy district—and in the decoration; the latter, however, plays no part in the structure and balance of the building as it does in the Florentine palaces. Chambord was built after the François I wing at Blois, and by the same architect; the influence of the earlier château is clearly visible, especially in the order of pilasters which punctuate the wall surface, extending their functional role to that of decorative accessories.

LIGNIÈRES (Cher). P. 86.

This fine house in the classical style is indeed the pride of Berry. It was built between the years 1654 and 1695 by François Le Vau, younger brother of the famous Louis Le Vau whose name is associated with the Louvre and with the first building at Versailles. The house consists of a main block overlooking the courtyard, with two lateral pavilions. The façades are designed in a pure classical style. In 1683 Lignières was acquired by Colbert; he left it to his son, the Marquis de Seignelay, who filled it with his family possessions, amongst them works by Coysevox, Rigaud, Mignard, Le Brun and Largillière.

MEILLANT (Cher). P. 87.

Meillant was built by Charles II of Amboise, governor of Lombardy from 1501 to 1511. "Milan a fait Maillant" : the overornamented inner façade with the famous octagonal tower (the Tour du Lion) lends verisimilitude to this unkind jest. The comparative soberness of the adjoining buildings emphasises, the exuberance of the dormers, whose tapering outline is linked by pierced tracery to the pinnacles decorating the buttresses, and the richness of the chimney ornaments. One is reminded of the sculptured portraits at the entrance to the house of Jacques Cœur at Bourges, as the style is still very Gothic in spirit. However, the dome and lantern of the tower already reveal Italian influence.

VALENÇAY (Indre). P. 88.

The building was begun in about 1540 by Jacques d'Estampes. It remained in his family till 1745, Talleyrand was able to purchase it from the last-named thanks to a considerable financial share in the transaction by Napoleon. Ferdinant VII of Spain spent an enforced six months there; this royal occupation hardly contributed to the preservation of the interiors, since the King had a passion for having wolf-traps and hydraulic machines indoors.

VILLEGONGIS (Indre). P. 89.

The château was built before 1540 by Louis XI's illegitimate daughter Avoye de Chabannes, who had grown rich on the proceeds of three successive marriages. Being of royal blood even though illegitimate, she naturally wished to own a house fit for royalty; and Villegongis is a servile copy inspired by Chambord. The imitation is obvious in the layout of the building, the order of pilasters, and especially in the chimney-stacks, laden with finely-chiselled ornament. The lack of creative inagination displayed by Villegongis more or less marks the end of the art of the Loire region.

BOUGES (Indre). P. 90.

Through the entrance screen can be seen a fine perspective formed by a splendid avenue of trees leading up to the château, an elegant and restrained eighteenth-century building.

THOUARS (Deux-Sèvres). P. 91.

The present château, begun in 1635, is a large building more than 110 yards long, with four Louis XIII pavilions; it is set amid a series of terraces linked by imposing flights of steps. The Sainte-Chapelle, adjoining the north pavilion, is by the architect André Amy, who worked from 1503 to 1514 in the Renaissance style of the Loire valley.

SAINT-LOUP-SUR-THOUET (Deux-Sèvres). P. 92.

The château is surrounded by a moat of running water fed from the Thouet, and is in two distinct parts: a keep dating from the fourteenth to fifteenth centuries—a massive square tower with over-restored machicolations—and the château proper. The latter was rebuilt at the beginning of the seventeenth century. It has a princely air, with its rectangular *corps de logis* and two projecting wings. The decorative courses of brickwork and high slate roof are characteristic of the Louis XIII style. The distinguished central pavilion, surmounted by a campanile, houses the grand staircase, which is decorated with a remarkable series of mythological paintings.

OIRON (Deux-Sèvres). P. 93.

The château consists of a large *corps de logis* flanked by two square pavilions and two long wings coming forward at right angles, ending in towers. It has the somewhat frigid appearance typical of many buildings of the *grand siècle;* in size it resembles a small palace. The huge *cour d'honneur*, the moat and the terraces, reveal the love of ostentation of Artus Gouffier, Grand-Maître de France, whose idea it was, and of his son Claude who carried out the work from about 1530 to 1550. But the earlier building was almost completely demolished during the alterations out in hand by the Maréchal de La Feuillade in the seventeenth century; there only survives a fine staircase round a hollow newel, a little chapel, and the large left wing building. The latter is very impressive, with its vaulted cloister-like gallery; the nine arches of this gallery rest on twisted pillars which stand in front of the walls and form the bases of elegant buttresses. Above it is the Galerie des Fêtes, 60 yards long, with windows corresponding to the arches. Inside the château, the *grand ecuyer's* weakness for classical antiquity is revealed in the medallions of Roman emperors and the huge frescoes inspired by the *Aeneid.* It is a fine Henri II interior, with its ornate ceiling, its monumental painted chimney-piece, and its floor of little coloured tiles laid out in labyrinth patterns.

LA PIERRE-LEVÉE [La Gaubretière] (Vendée). P. 94.

This charming house, the "Petit Trianon vendéen", was built by a financier, in 1775, it combines the elegance of a Parisian *folie* with the pleasant simplicity of a provincial residence. The building is well-proportioned, and has a central feature decorated with carved panels round the window, and surmounted by a pediment. A balustrade runs along the edge of the flat Italianate roof. A flight of steps gives access of the interior, which displays the same fineness of proportion and good taste.

LA ROCHEFOUCAULD (Charente). P. 95.

Passing through a seventeenth-century doorway, one finds oneself in front of a second entrance dating from the fourteenth century, dominated by two defensive towers and the great square eleventh-century keep. On the right is the south front, built in the sixteenth century by François II de la Rochefoucauld, godfather to François I. This beautiful Renaissance façade is pierced by mullioned windows and charming dormers with carved gables. The inner courtyard façade is certainly one of the finest in France. Three superimposed galleries form a remarkably harmonious design, enhanced by the refinement of the pilaster ornaments and the frieze of gables with shells and pinnacles. A spiral staircase of 108 steps ends in a pillar around which heads of angels support the spring of the vaulting ribs.

LA ROCHECOURBON [Saint-Porchaire] (Charente-Maritime). P. 96.

Part of the château dates from the fifteenth century, in particular the machicolated entrance pavilion with its pyramid roof, seriously damaged by fire in 1914. There were three drawbridges across the moat, with portcullises. Part of the living quarters dates from the late fifteenth century: two four-storey towers at the corners, large and round, with pepper-pot roofs. The *corps de logis* was rebuilt in the reign of Louis XIII, and a fine gallery was added, supported by an arcade of five depressed arches. A balustraded terrace, from which leads a monumental flight of steps, gives the building an extremely dignified foundation.

HAUTEFORT (Dordogne). P. 97.

The tall silhouette of Hautefort, perched on a promontory, leads one to except a proud fortress, instead, one is surprised to come upon a large house in the classical style, though this does indeed retain certain features of the old castle which preceded it. The present building was begun in the early seventeenth century, and work continued until the eighteenth century. Beyond a wide approach, a fortified entrance with a double draw-bridge leads into the courtyard, which opens out on to a magnificent view on the terrace between the two towers. The main building has a symmetrical façade, with steep slate roofs, between two massive square pavilions. The effect is one of great purity of line, bordering on severity.

PUYGUILHEM [Villars] (Dordogne). P. 98.

Puyguilhem is really a Loire château, transported by some magician into the very heart of Perigord. It consists of a central block with two wings at right angles to the rear façade. The entrance front is flanked by two towers; the main building between them has two rows of mullioned windows, with very ornate dormers above. The big tower with the *chemin de ronde* has a conical roof. In the angle which it forms with the *corps de logis* is a little octagonal tower decorated with twisted fillets and roses, characteristic of the Louis XII period. The square tower with the corners cut off contains the main staircase, reached through a very ornate doorway. At the top of the tower is a balcony, with an fine stone balustrade. This part of the building is in the François I style. Two different workshops seem to have shared the execution of the decoration; one, probably a local one, can be distinguished by the slightly awkward charm of some of the scroll-work on the dormers, and the vine and oak-leaf ornament of the capitals; the other, rather more sophisticated, reveals in the moulding of the mullions and the decoration of the huge chimmey-pieces the skill of a worker trained on the banks of the Loire.

RASTIGNAC [La Bachellerie] (Dordogne). P. 99.

Unexpectedly for the Dordogne, Rastignac is reminiscent of one of those delightful late eighteenth-century houses—a country villa rather than a château—which one might find in the Ile-de-France or near Bordeaux or Montpellier. It seems very likely that the architect was Parisian, and the work suggests some imitator of Ledoux, perhaps Victor Louis. The garden front seems to have inspired the façade of the White House at Washington; it has a semicircular Ionic colonnade following the outline of an oval salon.

LE BOUILH [Saint-André-de-Cubzac] (Gironde). P. 100.

The old manor of Le Bouilh being in ruins, Jean-Frédéric de la Tour du Pin entrusted the restoration to Victor Louis (1787), he designed a house as original as it was elegant; unfortunately, it was destined to remain unfinished. Only the west pavilion was built, decorated with columns carried on the ground-floor foundations. The domestic offices, laid out in a semicircle, flank the façade of the chapel. The big water-tower, the *Nymphée,* and an enormous pigeon loft capable of housing 1.200 pigeons, are both handsome as well as utilitarian buildings.

BIRON (Dordogne). P. 101.

Of the old fortress defended by the Albigenses against Simon de Montfort at the beginning of the twelfth century, there still survives the wall of the keep—a grim building with enormous buttresses. After being captured and burnt by the English in 1444, it was repaired and extended. A new and much larger courtyard was levelled out above the upper platform, supported by imposing terrace walls and surrounded with buildings of an open character—more sumptuous, and more in accordance with the taste of an age which did not wait for the example of the Italian Renaissance before introducing into its architecture a new feeling for light and comfort. Work on the château began before Pons de Gontaut accompanied Charles VIII to Italy; when he returned, it continued on the same lines, but certain architectural ornaments "à la mode d'Italie" were applied to the robust Gothic structure. During his visit to Rome in 1495 Pons de Gontaut received permission from Pope Alexander VI to found a chapel and install there a college of canons. This was finished in 1524, and consists of two churches one above the other. The lower one served as a parish church, and the upper one, belonging to the chapter, was also the family funerary chapel.

The house built by Pons was altered by his successors—the two Maréchaux de Biron and, in the eighteenth century, Armand de Gontaut. It retained its imposing Gothic aspect, but with the addition of a large *salle des Gardes*, the *salon* in the great square tower, a monumental staircase linking the two inner courtyards, and the very successful loggia opened up on one side of the *cour d'honneur*, framing in its wide depressed arch a most magnificent landscape. One of the most interesting features of Biron was undoubtedly the sculpture in the upper church. These works are now in the Metropolitan Museum, New York.

VAYRES (Gironde). P. 102.

Sixteenth—and seventeenth-century additions have changed the thirteenth—century fortress into a splendid house, not very military in appearance, but of remarkable architectural quality. It is divided into two parts; one enters an outer courtyard around which lie the domestic offices, and beyond this is the *cour d'honneur,* divided from the first by a low small, with niches in the Italian style. The handsome inner façade has an arcade of four bays on the ground floor. The arches are divided by pilasters and garlands; above them are rectangular windows with broken pediments, and whallow niches in the intervening spaces. The most impressive feature is on the garden front: a monumental portico supported on eight columns with resticated bands, which in turn rest on a wide arch enclosing a Nymphaeum. A series of double stairways lead down to the terraces.

BEYCHEVELLE (Gironde). P. 103.

In the Middle Ages the castle of Beychevelle had the right of collecting toll from the boats passing up and down the river. The present house was built on the same site in 1644 by the Duc d'Epernon, and was altered in the eighteenth century; it is a handsome Louis XIII building consisting of a single-storey *corps de logis* between two pavilions.

MARGAUX (Gironde). P. 104.

A fine avenue leading to the river, a peaceful beach, and rows of vines in perfect alignment, form the dignified seeting of a building which has given its name to a famous wine. The château was built in the eighteenth century, and has an graceful façade with a monumental portico in the centre. The steps, the columns and the pediment are of extremely fine proportions.

LASSERRE (Lot-et-Garonne). P. 105.

The fine sixteenth-century château consists of a quadrilateral block of buildings. To the east are square single-storey pavilions, linked by curtain walls. The château proper, to the west, is flanked by two projecting square pavilions at the corners, linked to a central section by a wall resting on a arcade of three bays. The rusticated exterior is sober but effective. The architect of Lasserre was a master-mason from Paris, who worked on the completion of the Paris Hôtel de Ville.

MONTAL [Saint-Jean-Lespinasse). (Lot). P. 106.

At the end of the sixteenth century Montal belonged to the Grand-Sénéchal Robert de Balzac d'Entraigues. His daughter Jehanne, undertook the rebuilding of the château during the years 1528 to 1534. The work was abandoned before the erection of the gallery which was to have joined the two wings of the inner courtyard. By way of inheritance, it remained in the hands of the Escars family till 1760, after which it met with severe misfortunes. The legalised vandalism of ,,la Main-Noire" carried out what the Revolution had not dared to do; first, in 1858, a certain Macaire tore down all the sculptures, which were taken to Paris and sold by auction, than in 1903 a M. Pichard disposed of what still remained. Montal was left a mere shell; the works of art which had made it of such interest were dispersed throughout museums, or in French and American private collections. The generosity of M. Fenaille, who acquired the château in 1908 and later offered it to the nation, has made it possible to reproduce faithfully the original décor. Thanks to the cooperation of the Musée du Louvre and of the Arts Décoratifs, who gave back the precious sculpture the had acquired, the inner courtyard has recovered the seven busts, framed in architectural motifs; and also the fine frieze which runs for 35 yards along the double façade.

PIBRAC (Haute-Garonne). P. 107.

The château of Pibrac has remained the property of the du Faur family ever since 1540, when they acquired the ground on which it was to be built. The regular plan consists of a large central *corps de logis*, with two wings at right angles; in the middle of the façade is a polygonal tower, with a flat roof with overhanging eaves. On the outer corners of the wings are two cylindrical towers with pepperpot turrets. The interior of the château has undergone considerable alteration; the misplaced enthusiasm of nineteenth-century restorers is much to be deplored. Fortunately, they spared the "Cabinet des Dames", with its portraits of ladies of Louis XIII's reign, and also the "Mirande" (a little room with ogival vaulting) and its furniture.

BOURNAZEL (Aveyron). P. 108.

Jean de Buisson had Bournazel rebuilt on the model of the château of Graves, which had been built by Georges d'Armagnac, Bishop of Rodez, in 1530 when he returned from his ambassadorial visit to Italy. There is nothing remarkable about the outer façade, apart from the simple and regular arrangement of the windows, emphasised by the superimposed columns which separate them. On each floor are three wide arches opening on to a gallery; they are separated by pairs of columns framing a narrow niche, as in Pierre Lescot's façade of the Louvre. Work on the château stopped when the north and east wings were built; the south wing was begun, but never completed.

LA PISCINE [Montpellier] (Hérault). P. 109.

This house of the Louis XV period is one of the most charming country villas in the neighbourhood of Montpellier. It was built in 1770, and owes its name to the lake lying in front of it. The building is entirely classical, well balanced and of pleasing architectural proportions. A forecourt with wrought iron railings leads into the *cour d'honneur*, overlooked by the north façade of the house. The central feature with its pilasters and arabesques is surmounted by a sculptured pediment. The south front overlooking the gardens is less elaborate but of great character and refinement.

UZÈS (Gard). P. 110.

One should not be misled by the feudal appearance of the château and the twelfth-century Tour Bermonde into forgetting that Uzès was in fact built in the sixteenth century for Antoine de Crussol, first Duke d'Uzès—possibly by Philibert Delorme. The tall *corps de logis* consists of a ground floor and two upper storeys decorated with engaged superimposed columns and fluted pilasters framing the windows and the large sculptured panels. The grand staircase (sixteenth century) leads to the apartments containing all the portraits of the Uzès family right back to Antoine de Crussol, first Duke and "Pair de France" in 1572.

MONTFRIN (Gard). P. 111.

The large château of Montfrin is built on a spur, and its lofty outline dominates the town. Its symmetrical plan is formed of large low-lying buildings with galleries enclosing the *cour d'honneur* (seventeenth century), at the back of which stands the main front of the château itself, with regularly spaced windows divided by courses of stonework; above it is a wide cornice surmounted by an attic. The east and south fronts have a curvilinear and a triangular pediment in the centre. The main block of the château encloses a little inner court in the centre of which stands the old twelfth-century keep, built over Roman foundations.

CASTILLE [d'Argilliers] (Gard). P. 112.

A few miles from the Pont du Gard, on the way to Uzès, one comes with astonishment upon a hemicycle of imposing columns. These we owe to the fondness for display of Gabriel de Froment, Baron de Castille; as a result of a journey to Italy he wished to have a somewhat ostentatious souvenir of the architecture of antiquity. The costly improvements carried out to his property by this gentleman with such a passion for columns took place during the years 1805 to 1809. His weakness for perspectives and axes is evidence of a very theatrical taste. Beyond the semicircular colonnade, two rows of columns lead the visitor to the entrance of the château; inside this, the domestic offices and the stables lie on either side of the central pathway. Opposite is the château, once simply a country house; it is a square building with four towers, but adorned on three sides with a balcony supported by thirty columns.

GRIGNAN (Drôme). P. 113.

Built on rising ground in the middle of the plain, cut in the rock which forms a kind of inaccessible substructure —it is a feudal fortress which remind the Adhémar Castellan family, crusaders and governors of Provence, who had it built. Madame de Sévigné died there on April 16th, 1696. A part of the château—the massive entrance with its crenellated towers—goes back to the fourteenth century, but the interior reveals unexpected Renaissance charms. The south front was built in 1545, and what remains of it is not lacking in style.

ANSOUIS (Vaucluse). P. 114.

From its rocky hill in the Durance valley the château of Ansouis dominates the village, whose houses are ranged in tiers on three sides of the hill. A sloping pathway with a massive stone retaining wall leads up to the *cour d'honneur*, with the main building opening on to it. This principal block has tall segment-headed windows surmounted by broken pediments. Inside, the grand staircase and the ceilings in the French manner contribute to making the interior of the château a fitting complement to its outer dignity. A descending series of terraces below the house show it to excellent advantage and provide splendid views over the Provençal countryside.

CHAZERON (Puy-de-Dôme). P. 115.

In the seventeenth century a *corps de logis* was added to the old thirteenth-century keep of the lords of Chazeron. In the eighteenth century a portico was built whose three arches closed in the upper courtyard. A double staircase links this with the forecourt, round which lie the low buildings housing the domestic offices (also of the eighteenth century). These rest on a platform ornamented with Tuscan balustrading.

VIZILLE (Isère). P. 116.

The château of Vizille, with its feudal style of architecture and the robust elegance of its classical ornament, perfectly expresses the sovereign and austere majesty of the Dauphiné. The Maréchal de Lesdiguières, laid it out like a barracks, and in 1611 undertook its reconstruction, adding to the old keep an imposing classical building with four rows of windows solidly framed in rusticated masonry. The château is entered through a monumental doorway with Tuscan columns carrying the tympan; the latter contains a large equestrian statue of the Maréchal de Lesdiguières by Jacob Richier. The two fronts overlooking the courtyard and the park are massive and imposing, but the latter is more stylish, thanks to the flight of steps of the seventeenth century decorated with bas-reliefs and statues. Vizille is a summer residence of the President of France.

LA BASTIE-D'URFÉ [Saint-Étienne-le-Molard] (Loire). P. 117.

La Bastie has belonged to the d'Urfé family since the fourteenth century. The old stronghold was transformed at the end of the fifteenth century by Pierre d'Urfé. When he returned in 1551 from Italy, where he had represented France at the Council of Trent, he had the old fortress transformed into an Italianate residence, precious and picturesque, in accordance with his taste and fancy. He extended the *corps de logis* along the west side of the courtyard by means of a long gallery inspired by those at Oiron and Fontainebleau; its décor underwent alteration during the eighteenth century. Overlooking the courtyard, a loggia runs the length of the gallery, and is reached by a gently sloping staircase rather like the one at the Palazzo della Raggione at Verona. The chapel and the grotto display in a curious fashion both traditional piety and the new fashion for pagan antiquity. The door of the chapel is framed between two pairs of columns supporting an entablature and pediment where inscriptions in Hebrew, Greek and Latin indicate the slightly pedantic erudition of their author. Inside, all that remains is the pilasters and the vault of white, blue and gold stucco, with its scluptured emblems, initials and garlands in the style of Della Robbia. The grotto *en rocailles* was in the seventeenth century "considered the finest in the kingdom when it was first made". Its amusing decoration is directly inspired by Italy; the walls are made up of round pebbles from the Lignon, set in a fish-scale pattern, and superimposed on them are nymphs and tritons in high relief.

POMMAY [Lusigny] (Allier). P. 118.

This lovely creation of the early seventeenth century harmoniously combines dignity and simplicity with a typically provincial charm. A broad avenue of limes leads up to the house; beyond the wrought-iron grill shutting in the moat is an outer courtyard round which lie the domestic offices. This leads to the *cour d'honneur*, at the corners of which stand two large round towers. At the back of the courtyard stands the château, built at the end of Henri IV's reign, but already foreshadowing the Louis XIII style. Its symmetrically arranged patterns of coloured brickwork are very characteristic of the Bourbonnais. The perfect proportions of the different units with their steep roofs, and the background of trees provided by the park, reveal an undoubted concern for the grand manner.

TANLAY (Yonne). P. 119.

It was built in 1550, and has preserved a certain feudal air, with its four corner towers. The Petit Château (1568) has a curious rusticated basement and very ornate lintels over the windows on the floor above. A fixed bridge leads to the Pavillon de la Poterne, decorated with four very rustic banded columns with niches between. The courtyard has low buildings on either side; at the far end of it is the handsome façade with its Tuscan pilasters and two polygonal turrets. The outer façade is even more extraordinary; at either end stands a domed tower surmounted by a bell-turret. Inside the château are some astonishing mural decorations in monochrome; particularly noteworthy are the paintings where François de Coligny is represented as Hercules in an allegorical composition showing Queen Catherine de Medici between Catholics and Protestants. In the same scheme one can also identify the Duc de Guise as Mars and Diane de Poitiers disguised as Venus. A long canal 586 yards long and 26 yards wide leads up to the "Perspective", a magnificent water-tower (1645) built like an architectural theatre décor.

ANCY-LE-FRANC (Yonne). P. 120.

The building of the château took from 1546 till the end of the century; nevertheless the effect is one of complete architectural unity. It is French in execution but inspired by Italy, and is supposed to have been built to a design by Serlio, for Antoine III de Clermont-Tonnerre. The four outer façades are extremely sober, almost severe; all of them have windows separated by Tuscan pilasters, and modillions supporting the cornices. The inner rectangular courtyard displays a greater degree of fantasy; it has a rhytmical alternation of black marble panels and niches set between fluted pilasters. The rich interiors are reminiscent of Fontainebleau, and the style of Primaticcio and his school is recognisable in the frescoes of differents rooms.

FONTAINE-FRANÇAISE (Côte-d'Or). P. 121.

In the eighteenth century, Fontaine-Française was in a ruinous condition. To save the old house, its heiress Charlotte du Pin decided to marry M. Boulioud de Saint-Julien, a man of little account but whose wealth was sufficient to guarantee his future, and she even decided to remodel it in accordance with the contemporary taste. Le Jolivet, an architect from Dijon, drew up the plans in 1755; it consists of a central block with a triangular pediment, and two short wings at right angles. A double flight of steps leads down to the parterre, in which are statues of Apollo and Pan by Bouchardon.

BUSSY-RABUTIN (Côte-d'Or). P. 122.

Bussy was more of a "gentleman's residence" than a real château; it was built in the fifteenth century, from which period four towers still survive. These were modified in the sixteenth century and linked by wings consisting of a gallery and an upper floor. The left tower contains the chapel. The *corps de logis* was begun in the early seventeenth century by François Rabutin; work on it was continued till 1649 by his grandson, famous for his mad escapades and his wit. This extraordinary man imposed his own characteristic style on his place of exile. While writing the *Histoire amoureuse des Gaules* for his own pleasure and his mistress's amusement, he had the novel illustrated after a fashion on the walls of his château, and the court he missed so much was reconstituted in his gallery of three hundred portraits. All this is in more than doubtful taste, but entirely in the spirit of the time. The somewhat pretentious *naïveté* of the soldier with humanist ambitions is displayed in the Salon des Devises, where the décor conveys its message in rebus fashion, with objets, animals and flowers. The so-called Chambre de Madame de Sévigné serves to remind the visitor of the family relationship and the friendship between the Marquise and Bussy. The latter's room, restored with taste and discretion, conjures up the impression of a *grand seigneur*, obliged against his will to live in the country, whose somewhat unbridled imagination is always pursuing a chimera. The famous Tour Dorée with its rotunda decorated with mythological subjects, portraits of queens and princesses, and unsavoury legends, is the oratory of a libertine well pleased with his coarseness and proud of his allegorical discoveries.

TALMAY (Côte-d'Or). P. 123.

The charming eighteenth-century château constrasts strangely with the huge keep, built in 1270 by Guy de Pontailler; the latter represents the survival of feudal powers, the former, discreet middle-class opulence. Talmay was rebuilt in 1702 and displays all the qualities of this new social class, half-noble, half bourgeois, which has contributed so much to provincial France. This unadorned but well-proportioned architecture affirms the solidity, the sense of justice and of authority inherent in its owners. The architect was J.-L. d'Aviler.

DRÉE [Corbigny] (Saône-et-Loire). P. 124.

The château of Drée was begun in about 1620 by Charles I of Blanchefort-Créqui, Duc de Lesdiguières, and finished by the Comte de Drée in about 1750. The *cour d'honneur* lies behind a handsome screen; beyond it stands the château, with its two wings at right angles. The façade has a portico of four columns supporting a balcony; their line is continued upwards by four other columns carrying the architrave crowned with a pediment containing the sculptured arms of the Tournon family. The other façade is less elaborate, and overlooks the terraces, with their fine gardens laid out in the French manner. These are reached by a double flight of steps.

SULLY [Saint-Léger] (Saône-et-Loire). P. 125.

Sully is one of the most magnificent houses in Burgundy. The present building occupies the site of a château of the twelfth and thirteenth centuries, of which only a tower and its doorway survive; it was begun in 1515 and only finished at the beginning of the seventeenth century. The plan is a very simple one—four *corps de logis* enclosing a square courtyard, and at each corner a square tower surmounted by a companile. The old drawbridge was done away with, together with most of the moat. The inner courtyard façades form a somewhat forbidding complex of highly disciplined architecture. The north-east front overlooking the valley is a classical seventeenth-century design, with thirty-eight regular windows and a frontispiece crowned with a triangular pediment.

DIGOINE [Palinges] (Saône-et-Loire). P. 126.

The château was begun in 1709, on the site of a fortress, and finished in 1779. The central block lies behind a fine wrought-iron screen; it is surmounted by a triangular pediment in the middle, and at either end is a projecting square pavilion. The more elaborate garden front has a portico of six columns on two storeys, with a pediment containing trophies above. Two cylindrical corner towers with their cupola-shaped roofs dominate the building. A separate pavilion contains a delightful theatre, still with its original decoration in white and gold.

PIERRE (Saône-et-Loire). P. 127.

The château of Pierre, built in 1680 by Claude de Thiard, is a model of classical regularity, typical of the Louis XIV period. Four domed towers with tall bell-turrets stand at either end of the two wings lying at right angles to each façade. The central block is pierced by an arcade of depressed arches; the pediment outlined against the roof is the work of Dubois, a sculptor from Dijon.

LE GRAND-JARDIN [Joinville] (Haute-Marne). P. 128.

Grand-Jardin was built during the years 1546 to 1550 for the Duc Claude de Guise, and is the only important example of classical Renaissance architecture in Champagne. It was an agreeable retreat planted by order of the duke (at considerable expense) with quantities of exotic trees. The plan is a very simple one consisting of a single block with façades in a harmonious design made up of fluted pilasters with narrow niches between them. Rich sculptured decoration adorns the bases of the niches, the aprons of the windows, and the caissons of the cornice; figures representing Fame garnish the spandrels of the doorway, over which is a lintel carved in high relief. The sculptor is unknown, but seems to have been influenced by Italy; on the other hand, the proportions of the fluted pilasters and the narrow niches foreshadow the new colossal order to be used later by Pierre Lescot and Philibert Delorme in a design for the Tuileries.

MONCLEY (Doubs). P. 129.

In 1775 the President of the Parlement of Besançon, had a kind of palace built for himself in the country. The architect was Bertrand. Moncley is a vast stone building with an inward-curving façade, in the centre of which is a peristyle of four Ionic columns surmounted by a triangular pediment; a square pavilion stands at either end. The other front has a semicircular domed rotunda. The entrance peristyle leads into a large vestibule, where columns support the balcony which gives access to the first-floor apartments. The domestic offices with their rusticated stonework are reminiscent of the style of Ledoux, who built the salt-pits at Arc-et-Senans—also in 1775.

HAROUÉ (Meurthe-et-Moselle). P. 130.

Marc de Beauveau-Craon commissioned the architect Boffrand to redesign the old fortress of the Bassompierre family, which he bought in 1720. Boffrand retained only the moat and the foundations, and built a princely house over the latter. The façade looking on to the pleasingly regular cour d'honneur has a steep roof and two flanking wings with colonnades. The triangular pediment contains the arms of the Beauveau-Craon family supported by figures representing Fame; the sculptor of these was Gribal. The balconies, the entrance screen and the balustrade of the grand staircase are by Jean Lamour, the great wrought-iron worker of Nancy.

LUNÉVILLE (Meurthe-et-Moselle). P. 131.

The "Versailles of Lorraine" was built for Duke Leopold of Lorraine, after plans by Boffrand, a pupil of Jules Hardouin-Mansard. The palace was finished in 1714; but when Leopold died (1729) additional work was carried out first by his widow and later by his son François III, who later married Marie-Thérèse of Austria. When Lorraine was united with France (1737) Lunéville became the favourite residence of the new Duke, King Stanislas Leczinski. The château is an extremely dignified building. The main block lies between two wings at right angles to it; the ground floor windows are segment-headed and those on the first floor are round-headed. A peristyle with four columns carries an entablature with a triangular pediment above; the whole is surmounted by an octagonal dome. The two bell turrets emerging from the roof reveal the position of the chapel, the plan of which is based on the chapel of Versailles. The gardens are complementary to the architecture, and were designed by Yves des Hours (1711-1718) of Nantes. He was succeeded by Louis Gervais, who created the gardens of Schoenbrunn. The court of Lunéville was at the height of its glory between the years 1740 and 1750; Voltaire and Madame du Châtelet were its most welcomed visitors. The presence of such brilliant minds and the diversions created by gallant intrigues contributed to an atmosphere of great charm, which helped to make tolerable the austere solitude of the Lorraine countryside.

FLÉVILLE (Meurthe-et-Moselle). P. 132.

The château was built on the site of an old fortress, of which the keep still survives. It was finished in 1599, but still preserved a feudal air. The main *cozps de logis* overlooking the courtyard has one upper storey, with a balustraded balcony running along the whole façade; the adjoining wings lie on either side of the courtyard. Madame des Armoises, lady-in-waiting to the Queen of Poland, made Fléville into a sort of Hôtel de Rambouillet, where the most brilliant members of the court at Lunéville used to foregather.

SAVERNE (Bas-Rhin). P. 133.

Saverne was the residence of the Bishops of Strasburg, and more like a palace than a château; in the eighteenth century it was one of the finest in France. It was begun by the Cardinal de Furstemberg, after plans by the Italian Thomas Comacio, and finished by Cardinal de Rohan, who also built the château of Strasburg. It was burnt down, however, in 1779. Cardinal de Rohan's nephew, Cardinal Louis-René de Rohan (a leading figure in the unfortunate affair of the Queen's necklace) had Saverne rebuilt by the architect Salins de Montfort. It has a ground floor of enormous proportions, with a mezzanine floor over it; above that is the first floor, which in turn is surmounted by an attic storey. The central bay has tall French windows, and a large pediment above. The garden front is even more majestic, with enormous pillars running up from the ground floor to the attic, and an imposing peristyle of eight Corinthian columns supporting the entablature. The old palace was looted during the Revolution, and abandoned under the Empire; it became by turns a market, local government offices, barracks, a home for the widows of higher-grade officials, and again a barracks. It still awaits a better fate.

DAMPIERRE (Aube). P. 134.

An earlier château was built in the sixteenth century and destroyed a century later; of this building the Châtelet still survives, a two-storey block with a steep roof and four corner towers standing at the end of a long avenue of trees, and giving access to the *cour d'honneur*. When the present house was erected in 1671, the architect retained the Châtelet to give an axis to the layout; François Mansart is said to have designed the plan. At the end of the eighteenth century the interior was remodelled in the fashion of the time. It suffered considerable damage during the war.

LA MOTTE-TILLY (Aube). P. 135.

The château was built in 1752 by the architect François-Nicolas Lancret for the Abbé Terray, Contrôleur Général des Finances in the reign of Louis XV. It is a fine house, sober in style and of pleasing proportions; it lies on the axis of a long avenue and overlooks a *cour d'honneur* whose pathways enclose four lawns planted with yews. The central *corps de logis* has a ground floor and one upper storey; the wings at either end have mansard roofs which, with those over the central bays, form an accompaniment to the steep roof of the main block. The chapel to the left of the château served as a model for the pavilions which now exist at the angles of the *cour d'honneur*, at the ends of the wings containing the domestic offices and at the entrance to the château. The original layout of the terraces, has been restored; these lead down to a stretch of still water fed from the Seine.

BAZEILLES (Ardennes). P. 136.

Louis La Bauche, whose money was derived from the lace industry, received a patent of nobility in 1769; but he built a château suited to his new rank in 1742 without waiting for this official recognition. It was designed by Héré, the architect of Stanislas. The main façade, beneath its steep French roof, consists of a two-storey *corps de logis* and two slightly projecting wings with mansard roofs; a cornice runs the length of the building. In the centre is a large pediment containing the arms of La Bauche; on either side of it extends a balustrade, with cupids and sculptured urns.

Versailles. Plan d'un des pavillons du Bosquet des Dames.

BIBLIOGRAPHIE

P.-M. AUZAS. — *Azay-le-Rideau* (Editions Vincent Fréal, Paris).
Soulange BODIN. — *Les Châteaux de Bourgogne* (Van Oest 1942).
G. BRIÈRE, B. CHAMPIGNEULLE, M. JALLUT. — *Le Château de Versailles, Les Trianons, Les Jardins* (Editions Vincent Fréal, Paris).
Marguerite CHARAGEAT. — *L'Art des Jardins.*
Jean CORDEY. — *Le Château de Vaux-le-Vicomte.*
Ph. DE COSSET BRISSAC. — *Châteaux de France disparus* (Editions Tel, Paris).
Louis DIMIER. — *Le Château de Fontainebleau.*
De FOVILLE et LE SOURD. — *Les Châteaux de France* (Hachette 1913).
Ernest DE GANAY. — *Châteaux de France*, 4 vol. (Editions Tel, Paris).
Fr. GEBELIN. — *Les Châteaux de la Renaissance* (Editions Vincent Fréal, Paris).
L. HAUTECŒUR. — *Histoire de l'Architecture classique en France* (Editions Picart, Paris).
H. LEMAITRE. — *Châteaux en France* (Librairie centrale des Beaux-Arts, Paris).
J.-C. MOREUX. — *Cl.-N. Ledoux* (Arts et métiers graphiques, Paris 1945).
H. DE SEGOGNE. — *Les Curiosités touristiques de la France* (Collection Kléber-Colombes).
Jean TARALON. — *Chateaudun* (Editions Vincent Fréal, Paris).
J. VATIER. — *Les Anciens Châteaux de France* (Contet, Paris 1913).

PROVENANCE DES PHOTOGRAPHIES

ARCHIVES PHOTOGRAPHIQUES : 2, 3, 5, 9 (haut et bas), 10 (haut), 11, 14, 16, 17, 18, 19 (haut et bas), 22, 24, 26, 27, 28, 29, 32, 33, 35, 37, 38, 42, 43, 44, 45, 46, 49, 50, 51, 53 (bas), 56, 60, 61, 62, 64, 68, 72, 74, 75, 78, 79, 82, 83 (haut), 87, 93, 95 (bas), 106, 108, 110, 112 (haut), 113, 115, 119 (haut et bas) 122, 125, 130, 133.
HENRY DE SEGOGNE : 8, 10 (bas), 15, 20, 23, 25, 40, 42, 53 (haut), 54, 55, 58, 59, 65 (haut), 69, 71, 80, 86, 89, 90, 91, 92, 94, 95 (haut), 97, 98, 99, 101, 102, 103, 104, 105, 107, 109, 117, 118, 120, 123, 124, 126, 127, 129, 135, 136.
ROGER VIOLLET : 1, 12, 13.
PHOTO INDUSTRIELLE DU SUD-OUEST : 100.
M. FOUCAULT : 111.
ADANT : 114.
FRANÇOIS ENAUD : 4, 57, 63, 65 (bas), 67, 84, 85, 88, 115 (haut et bas).
BRASSAI : photo de couverture et 73.
COMPAGNIE AÉRIENNE FRANÇAISE : 76.
TOURING CLUB DE FRANCE : 6, 18, 52, 81 (haut et bas), 96, 128.
JEAN-MARIE MARCEL : 30, 31.
GIRAUDON : 36 (bas).
VIE A LA CAMPAGNE : 39, 77, 121, 134.
JAHAN : 34.
BULLOZ : 36 (haut).
PAUL BONY : 47, 48.
ABBÉ CHOUX : 132.
MARQUIS DE CONTADES : 66 (Photo mise gracieusement à notre disposition).
HENRI LEMPEREUR : 21, 70, 83, 131 (Photos mises gracieusement à notre disposition).

INDEX APHABÉTIQUE

ILLUSTRATIONS IN-TEXTE

TABLE DES MATIÈRES

PLANCHES

39214

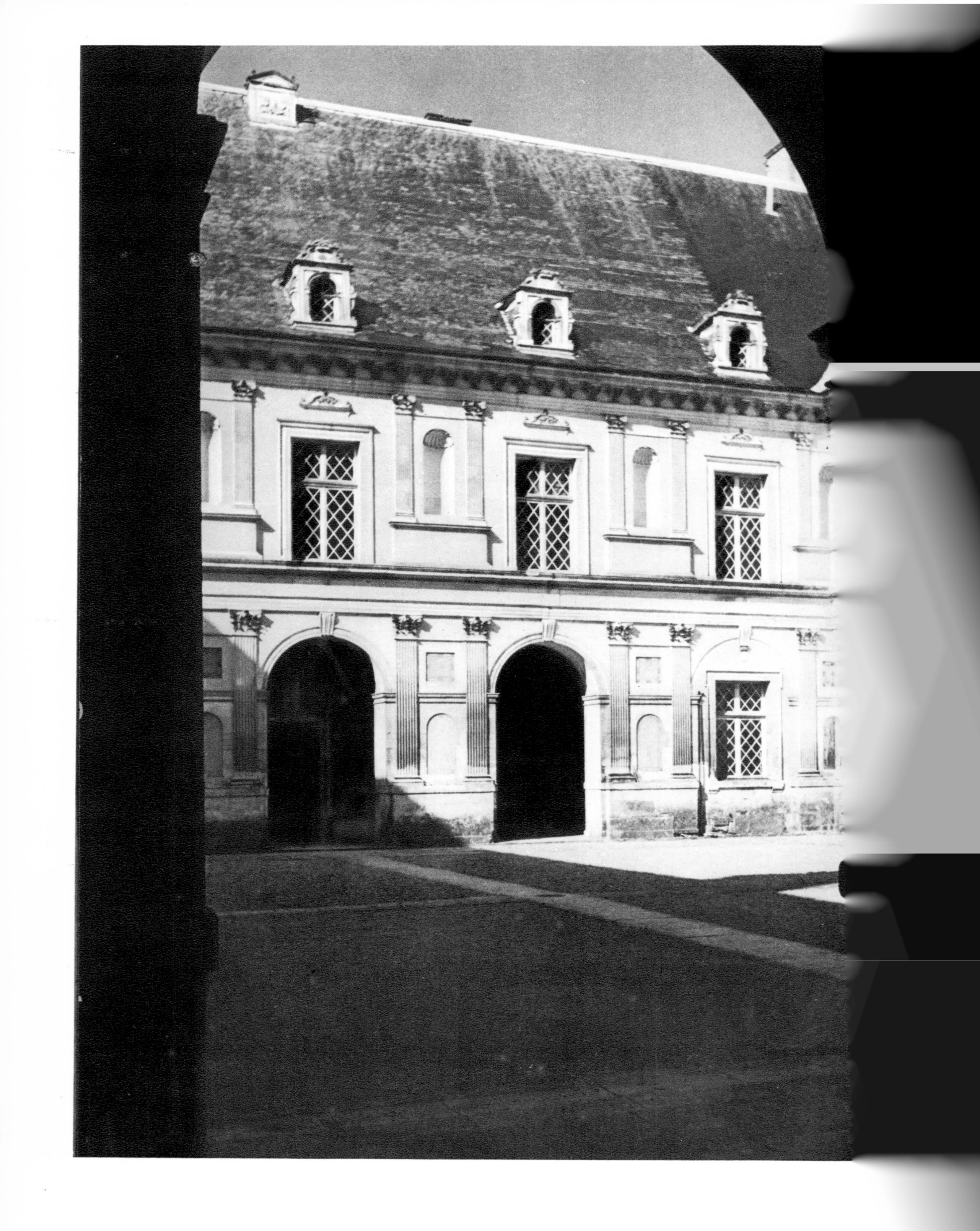

1. FONTAINEBLEAU
Escalier en fer à cheval : cour des Adieux.
Horsehoe staircase: cour des Adieux.

2. FONTAINEBLEAU
Façade sur la cour des Adieux.
Façade: Cour des Adieux.

3. FONTAINEBLEAU
Galerie Henri II.
Gallery of Henri II.

4. VAUX-LE-VICOMTE
Façade d'entrée.
Entrance front.

5. VAUX-LE-VICOMTE
Façade sur le parc.
Garden front.

6. GUERMANTES
Façade sur le jardin.
Garden front.

7. ORMESSON
Façade sur le jardin.
Garden front.

8. JOSSIGNY
Façade sur le jardin.
Garden front.

9. CHAMPS
Façade sur les jardins.
Garden front.
Un panneau du salon chinois.
Panelling in the Chinese room.

10. RARAY
Façade et cour d'honneur.
Façade and entrance courtyard.
Fragment de la chasse.
Part of the arcade.

11. COMPIÈGNE
Escalier d'honneur.
Grand staircase.

12. CHANTILLY
Vue prise du parterre.
The château seen from the parterre.

13. CHANTILLY
Le salon des Singes (détail).
A corner of the Salon des Singes.

14. CHANTILLY
Porte du pavillon central des grandes écuries.
Doorway, central pavillon of the great stables.

15. ROYAUMONT
Palais abbatial.
The Abbot's Palace.

16. VILLARCEAUX
Chambre à coucher.
Bedroom.

17. MÉRY
Vue d'ensemble.
General view.

18. CHAMPLATREUX
Façade sur le jardin.
Garden front.

19. ÉCOUEN
Vue d'ensemble.
General view.
Cheminée de la salle d'honneur.
Fireplace in the great hall.

20. LE MARAIS
Façade sur la cour d'honneur.
Façade: the entrance courtyard.

21. GROSBOIS
Façade d'entrée.
Entrance front.

22. WIDEVILLE
La Nymphée.
The Nymphaeum.

23. RAMBOUILLET
Façade sud-est.
South-east façade.

24. LA MALMAISON
Chambre de Joséphine.
The Empress Josephine's bedroom.

25. MAISONS-LAFFITTE
Façade d'entrée.
Entrance front.

26. DAMPIERRE
Façade sur le jardin.
Garden front.

27. VERSAILLES
La cour de marbre.
The Cour de Marbre.

28/29. VERSAILLES.
Bâtiment central et aile nord.
Central block and north wing.

30. VERSAILLES
Porte du salon de Diane.
Door of the Salon de Diane.

31. VERSAILLES
Le Grand Trianon (détail). Façade sur le parc.
The Grand Trianon (détail). Garden front.

32. VERSAILLES
Le Petit Trianon. Façade d'entrée.
The Petit Trianon. Entrance front.

33. LES MESNULS
Vue d'ensemble est.
General view from the east.

34. LA CHENAIE
Vue sur le jardin.
The garden front.

35. CHATEAUDUN
Façade sur la cour. Aile nord.
The north wing from the courtyard.

36. ANET
Façade sur la cour d'entrée.
Forecourt façade.
Façade intérieure du portique d'entrée (détail).
Inner façade of the gateway.

37. MAINTENON
Façade nord.
North front.

38. CANY-BARVILLE
Façade principale.
Main front.

39. CHAMPS-DE-BATAILLE
Façades nord et est.
The château from the north-east.

40. LA VACHERIE
Vue d'ensemble.
General view.

41. BEAUMESNIL
Façade d'entrée.
Entrance front.

42. SAINT-ANDRÉ-D'HÉBERTOT
Vue sur les douves. Façade sud.
The moat. South façade.

43. SAINT-GERMAIN-DE-LIVET
Façade sud.
South front.

44. FONTAINE-HENRY
Vue d'ensemble.
General view.

45. BÉNOUVILLE
Façade sur le jardin.
Garden front.

46. BALLEROY
Façade principale.
Main front.

92. SAINT-LOUP-SUR-THOUET
Vue d'ensemble.
General view.

93. OIRON
Vue d'ensemble nord.
General view from the north.

94. PIERRE-LEVÉE
Façade principale.
Main front.

95. LA ROCHEFOUCAULT
Façade sud. / *South façade.*
Aile ouest, détail de la galerie.
West wing: detail of the gallery.

96. LA ROCHECOURBON
Vue sur le jardin.
The château seen from the garden.

97. HAUTEFORT
Vue d'ensemble.
General view.

98. PUYGUILHEM
Vue d'ensemble.
General view.

99. RASTIGNAC
Façade sur le jardin.
Garden front.

100. LE BOUILH
Les communs et la chapelle.
The domestic quarters and the chapel.

101. BIRON
Le grand perron.
The flight of steps to the loggia.

102. VAYRES
Façade d'entrée.
Entrance front.

103. BEYCHEVELLE
Façade sur le jardin.
Garden front.

104. MARGAUX
Façade d'entrée.
Entrance front.

105. LASSERRE
Façade d'entrée.
Entrance front.

106. MONTAL
Façade est.
East front.

107. PIBRAC
Aile de la Mirande.
Left wing with the gallery of La Mirande.

108. BOURNAZEL
Façade sur la cour.
Façade overlooking the courtyard.

109. LA PISCINE
Façade sur le jardin.
Garden front.

110. UZÈS
Façade sur la cour (détail).
Detail of the facade overlooking the courtyard.

111. MONTFRIN
Façade principale.
Main front.

112. CASTILLE-D'ARGILLIERS
La colonnade.
Main front.

113. GRIGNAN
Façades sur la cour d'honneur.
The courtyard.

114. ANSOUIS
Façade sud.
South front.

115. CHAZERON
Vue sur la cour.
Courtyard front.
Détail de l'escalier de la façade.
Detail of the staircase to the upper courtyard.

116. VIZILLE
Vue sur le parc.
Garden front.

117. LA BASTIE-D'URFÉ
Façades sur la cour.
The courtyard.

118. POMMAY
Façade d'entrée.
Entrance front.

119. TANLAY
Vue d'ensemble nord-est.
General view from the north-east.
Le Châtelet.
The Châtelet.

120. ANCY-LE-FRANC
Façade sur la cour intérieure.
Facade overlooking the inner courtyard.

121. FONTAINE-FRANÇAISE
Façade d'entrée.
Entrance front.

122. BUSSY-RABUTIN
La cour d'honneur.
The main courtyard.

123. TALMAY
Vue sur le jardin.
Garden front.

124. DRÉE
Façade d'entrée.
Entrance front.

125. SULLY
Façade sur la cour intérieure.
Inner courtyard façade.

126. DIGOINE
Façade d'entrée.
Entrance front.

127. PIERRE
Façade d'entrée.
Entrance front.

128. JOINVILLE
Façade sur le jardin.
Garden front.

129. MONCLEY
Façade principale.
Main front.

130. HAROUÉ
Façade d'entrée.
Entrance front.

131. LUNÉVILLE
Façade sur les jardins.
Garden front.

132. FLÉVILLE
Façade sur la cour.
The courtyard.

133. SAVERNE
Vue d'ensemble sur le jardin.
General view from the garden.

134. DAMPIERRE
Façade sur le jardin.
Garden front.

135. LA MOTTE-TILLY
Façade d'entrée.
Entrance front.

136. BAZEILLES
Façade d'entrée.
Entrance front.

TABLE DES PLANCHES
TABLE OF PLATES